MEDICINA DA ALMA

Os direitos autorais desta obra foram cedidos *gratuitamente* pelo médium Robson Pinheiro à Casa dos Espíritos Editora — empresa parceira da Sociedade Espírita Everilda Batista, instituição de ação social e promoção humana, sem fins lucrativos.

Compre ao invés de fotocopiar. Cada real que você dá por um livro espírita viabiliza as obras sociais e divulgação espírita para que são revertidos os direitos autorais; possibilita mais qualidade na publicação de outras obras sobre o assunto; e paga aos livreiros por estocar e levar até você livros para seu crescimento cultural e espiritual. Além disso, contribui para a geração de empregos, impostos e, conseqüentemente, bem-estar social. Por outro lado, cada real que você dá pela fotocópia não-autorizada de um livro financia um crime e ajuda a matar a produção intelectual.

ROBSON PINHEIRO
PELO ESPÍRITO JOSEPH GLEBER

MEDICINA DA ALMA

2ª EDIÇÃO | REVISTA E AMPLIADA
TOTALMENTE EM CORES, COM ILUSTRAÇÕES INÉDITAS E EXCLUSIVAS
10 ANOS DO LANÇAMENTO DE MEDICINA DA ALMA | 150 ANOS DE ESPIRITISMO [1857-2007]

1ª edição | abril de 1997 | 12 reimpressões | mais de 53.000 exemplares
2ª EDIÇÃO REVISTA E AMPLIADA | abril de 2007 | 13 reimpressões | 48.000 exemplares
26ª reimpressão | junho de 2021 | 1.500 exemplares
27ª reimpressão | março de 2023 | 1.500 exemplares
28ª reimpressão | setembro de 2024 | 1.500 exemplares

O presente texto é idêntico ao da 1ª edição, salvo correções oriundas de nova revisão, submetidas ao autor espiritual, além do acréscimo de notas e textos inéditos.

TODOS OS DIREITOS RESERVADOS À
Casa dos Espíritos
Avenida Álvares Cabral, 982, sala 1101
Belo Horizonte | MG | **30170-002** | **Brasil**
Tel/Fax +55 31 3304 8300
www.casadosespiritos.com.br
editora@casadosespiritos.com.br

EDITOR Leonardo Möller
ILUSTRAÇÕES [CONCEPÇÃO] Robson Pinheiro
DESIGN GRÁFICO [CAPA] Andrei Polessi
DESIGN GRÁFICO [MIOLO] Mario Almendros
FOTOGRAFIA E ILUSTRAÇÕES Mario Almendros
REVISÃO E NOTAS Laura Martins
IMPRESSÃO E ACABAMENTO Gráfica Santa Marta

Dados internacionais de catalogação na publicação (CIP)
[Câmara Brasileira do Livro | São Paulo | SP | Brasil]

Gleber, Joseph [Espírito].
Medicina da alma / pelo espírito Joseph Gleber; [psicografado por] Robson Pinheiro — 2ª ed. rev. e ampl. — Contagem, MG: Casa dos Espíritos, 2007.
ISBN 978-85-87781-25-3

1. Cura pelo espírito e Espiritismo 2. Espiritismo 3. Holismo 4. Medicina holística 5. Psicografia I. Pinheiro, Robson II. Título.

07-2540   CDD: 133.93

ÍNDICES PARA CATÁLOGO SISTEMÁTICO:
1. Saúde e medicina : Mensagens mediúnicas psicografadas : Espiritismo

O futuro pertence ao espírito, e as diversas terapias que proliferam neste início de milênio e de uma nova era serão irrigadas com o sopro renovador dos imortais que tudo dirigem, objetivando levar o homem a descobrir seu verdadeiro papel na humanidade e integrá-lo ao conhecimento de si, para a sua plenificação como filho de Deus.

Joseph Gleber

sumário

APRESENTAÇÃO

2ª EDIÇÃO REVISTA

Minhas experiências com o
espírito Joseph Gleber *por Robson Pinheiro*, **11**

BIOGRAFIA

de Joseph Gleber *por Robson Pinheiro*, **25**

PREFÁCIO

pelo espírito Estêvão, **31**

INTRODUÇÃO

Novo paradigma, **33**

CAPÍTULO 1

Saúde e doença, **37**

CAPÍTULO 2

Conceito holístico, **45**

CAPÍTULO 3

Fluidos e microorganismos, **53**

CAPÍTULO 4

Duplo etérico, **69**

Outros aspectos do duplo etérico, **82**

CAPÍTULO 5

Os chacras, **91**

Coronário, **97**

Frontal, **98**

Laríngeo, **99**

Cardíaco, **100**

Gástrico, umbilical ou do plexo solar, **101**

Esplênico, **102**

Genésico, básico ou fundamental, **103**

CAPÍTULO 6

Psicossoma, *117*

Processos de manutenção do perispírito, *124*

CAPÍTULO 7

Corpo mental, *137*

CAPÍTULO 8

Reflexos da mente, *145*

CAPÍTULO 9

Aura: as irradiações da alma humana, *155*

CAPÍTULO 10

Tratamento espiritual: reuniões especializadas, *165*

CAPÍTULO 11

Receituário mediúnico, *179*

CAPÍTULO 12

Passes magnéticos, *189*

CAPÍTULO 13

Obsessão, *201*

Monoideísmo, *212*

CAPÍTULO 14

Goécia e antigoécia, *221*

CAPÍTULO 15

A dor e o sofrimento, *231*

A lei do carma e a reencarnação, *235*

CONCLUSÃO

Problemas da atualidade, *247*

BIBLIOGRAFIA

das notas, *251*

minhas experiências com o espírito Joseph Gleber
POR ROBSON PINHEIRO

Em novembro de 1996, já freqüentava há alguns meses um grupo mediúnico no Centro Espírita Amor e Trabalho, na cidade de Contagem, região metropolitana de Belo Horizonte, MG. Àquela época, durante uma reunião na qual o médium Hércules Fernandes realizara pinturas mediúnicas, entrei em sintonia com elementos do plano extrafísico e foi apresentada à minha vidência uma cena. Via um livro sendo colocado à minha frente, e sobre ele caía uma rosa vermelha. Da rosa destacava-se uma pétala, que se transformou em sangue, manchando o livro. Fixei o olhar para ver o que estava escrito no livro e pude ler o título: *Medicina da alma*.

Ao final da reunião, fiquei em silêncio e não desejei relatar o ocorrido, deixando para minhas reflexões as imagens percebidas. Quando os demais médiuns tiveram a iniciativa de relatar suas impressões e o resultado de suas observações, uma das médiuns presentes disse ter visto um livro cair à minha frente, com algo de cor vermelha a envolver o livro. Mas era só. Ela não havia percebido mais nada. A partir de então, dei complemento ao relato da médium, falando a respeito do que havia notado.

Ocorre que, àquela altura, eu já vinha psicografando alguns textos do espírito Joseph Gleber, mas ele sempre me instruíra para guardá-los, pois não gostaria que fossem levados a público, ao menos naquele momento. Assim procedi, conforme sua orientação.

No início de 1997, mais precisamente em janeiro, o benfeitor espiritual me pede para ficar à sua disposição e, se possível, que me retirasse para algum lugar junto à natureza. Ele prosseguiria os escritos e os reuniria a todos num volume a ser publicado. O título: *Medicina da alma*.

Concluída a psicografia do livro, duas semanas antes do carnaval de 97, fui presenteado por um amigo, Marcos Leão, com um plano de saúde que poderia me dar cobertura imediata para qualquer procedimento médico, inclusive cirurgias e exames, em virtude de uma campanha promocional que abolia as carências típicas desse tipo de produto. Na verdade, era um seguro-saúde. Não imaginava o que poderia ocorrer comigo, pois, até aquele momento, não havia experimentado nenhum problema de saúde grave que justificasse, ao menos para mim, a preocupação em ter um seguro-saúde.

O livro *Medicina da alma* logo entrou no processo de diagramação e preparação, pois desejávamos publicá-lo ainda no início do ano. Todos nós estávamos ansiosos na Casa dos Espíritos, que então mal havia começado suas atividades, pois aquele recém-terminado era o segundo livro a ser publicado; nada sabíamos, entretanto, acerca da programação do Alto e do autor espiritual.

Ainda faltavam alguns dias para os originais rumarem em direção à gráfica, quando, numa conversa com o espírito Joseph Gleber, ele me disse:

— Não permitirei que você publique um livro sem atestar, com sua experiência, a validade de seu conteúdo. Certamente me envergonharia diante dos benfeitores da espiritualidade, caso me utilizasse de um médium que não houvesse dado testemunho a respeito do trabalho. Não basta psicografar um livro; é necessário que você experimente o valor de sua mensagem.

Ainda assim eu não imaginava o que poderia se esconder por detrás das palavras de Joseph.

Na segunda-feira que antecedia o carnaval, comecei a sentir algumas dores abdominais. Tirando proveito do plano de saúde que meu amigo me havia oferecido, imediatamente procurei um médico. Fui informado, através de um rápido exame clínico, que o meu caso era algo muito comum — apenas problemas intestinais. Naquela época, tinha por hábito comer muito (muitíssimo!), e, portanto, o que sentia era somente o resultado de meus abusos alimentares.

Voltei para casa e usei alguns medicamentos indicados pelo médico. Mas nada de melhorar. Enquanto o livro *Medicina da alma* estava sendo preparado para entrar na gráfica ainda antes do carnaval, minhas dores foram aumentando de tal maneira que resolvi procurar diretamente um pronto-socorro, para possíveis averiguações.

No ato da assinatura dos papéis, o corretor que havia vendido o seguro-saúde me advertira:

— Olha, Robson, caso algum dia você precise se internar em Belo Horizonte, de forma alguma vá ao Hospital "x", pois, embora tenha recursos muito modernos e seja pioneiro em matéria de tecnologia, é atualmente o campeão mineiro de infecção hospitalar.

Resultado: como estávamos próximos ao carnaval, procurei três hospitais e não consegui ser atendido em nenhum, tanto por falta de profissionais disponíveis *quanto por falta de profissionais disponíveis* — e outros problemas mais, alegados pela administração. Só havia um pronto-socorro onde consegui ser atendido: exatamente aquele sobre o qual o corretor me advertira para evitar a todo custo. Mas não havia jeito. As dores pioraram gradativamente, e naquele instante eu já não conseguia andar. Fui literalmente carregado por um amigo. Diagnóstico: apêndice supurado. Precisava ser operado imediatamente, do contrário não haveria possibilidade de sobreviver.

Como não havia outro jeito, fui internado ali mesmo, em caráter de urgência; nem sei direito se fizeram todo o pré-operatório necessário. Naquela época eu estava com altas taxas de glicose, porém não me recordo de haver sido indagado a respeito pela equipe médica responsável.

Exatamente no dia em que baixei ao hospital para me submeter à cirurgia, o livro *Medicina da alma* dava entrada na gráfica, cujos funcionários trabalhariam durante o feriado para produzi-lo.

Lembro-me que, após a cirurgia, ouvia algumas vozes ao longe e me sentia de fato deslizando, levitando. Minha primeira conclusão lógica é que havia desencarnado, pois me sentia algo tonto, leve, o que atribuí imediatamente ao fato de já estar no plano espiritual.

Uma voz de timbre suave, pendendo para os tons agudos, falava-me:

— Meu filho, fique tranqüilo. As dores já se foram. Durma agora e esqueça o passado. Já acabou todo o sofrimento…

Julguei que ouvia a voz de Sheilla, espírito que trabalhava junto a Joseph Gleber. Nesse momento, supus, minhas suspeitas se confirmavam: estava desencarnado, morto mesmo. E Sheilla estava a me receber… Quanta honra!

Mas fui arrancado abruptamente de minha ilusão:

— Robson, acorda! Ocorreu algo durante sua cirurgia.

Você está sendo encaminhado ao CTI.

Senti uma mão a sacudir-me de modo mais intenso, e a voz parecia me arrancar do transe da morte. Abri os olhos e vi que não estava morto coisa alguma — não sem antes cruzar meu pensamento, por instantes, a idéia de que estava no umbral, com aquele homem barbudo, de aspecto rude, dirigindo-se a mim.

Era o médico que fizera a cirurgia. Abri os olhos, mas imediatamente perdi a consciência e entrei em coma durante os próximos 19 dias, em que fiquei internado em estado grave.

Durante esse período, foi requerida a presença de meus familiares, que vieram do interior especialmente para meu funeral. Minha família, toda evangélica, sem exceção, estava atordoada e só pensava em despedir-se de mim. Eu, desdobrado, achava-me no teto do CTI e presenciava tudo, pensando:

— Que povo besta! Estou tão bem, e eles chorando assim. Eles é que precisam de ajuda.

Numa dessas visitas ao CTI, minha irmã dirigia-se, aos prantos, a meu corpo inerte:

— Pode morrer em paz, meu irmão. Não se preocupe conosco! Jesus vai lhe socorrer.

E, numa outra ocasião, uma amiga (mui amiga!), falava-me baixinho, enquanto meu corpo definhava no leito:

— Robson, eu sei que você me ouve. Não se preocupe, meu amigo. Vamos comprar seu caixão, e, desde já, saiba que consegui junto à minha família a liberação do jazigo que compramos num cemitério da cidade. Vá em paz! Não se preocupe com as contas. Está tudo preparado. Joseph Gleber com certeza irá recebê-lo do outro lado.

— Miserável! — pensava eu, desdobrado. — Será que não sabem que, apesar de ser *espírita,* detesto a idéia de me transformar em *espírito*? Estou tão bem e vocês mangando de mim…

Ainda durante o período de coma, alguns fenômenos ocorriam em torno de mim. Médicos não conseguiam chegar muito perto, pois de um momento para outro pareciam ser barrados por algum campo de força invisível. O amigo Marcos Leão advertia os médicos: "Não tentem entender o que está ocorrendo. Vocês com certeza não conseguiriam".

Certo dia, quando meu pai e minha irmã foram convocados pelo médico de plantão para uma conversa mais franca e definitiva a meu respeito — quer dizer, desligar os aparelhos que me mantinham vivo —, a enfermeira chegou correndo, requisitando a imediata presença do médico. Eu havia me sentado sobre a maca depois de longos 19 dias de coma. Estava arrancando os fios ligados a mim e falava num idioma desconhecido. Joseph Gleber, incorporado, retirava-me do CTI:

— Estou retirando "minha" médium desta cama — anunciava ele, num sotaque carregado, misto de iídiche, alemão e português, segundo me relatou mais tarde quem presenciou o fato. — Indiquem "uma" quarto para eu levar "minha" médium.

O espírito havia interferido de tal maneira que todos se afastaram, limitando-se a indicar um dos apartamentos ao qual eu fosse levado. Joseph conduziu meu corpo até determinada maca, e os enfermeiros, assustados, acompanharam-no, retirando-me do CTI, com o médico de plantão em estado de choque diante do inusitado.

Assim que me instalaram no apartamento, Joseph Gleber me assumiu novamente e se revezava na posse de meu psiquismo com o espírito Pai João de Aruanda. O preto-velho cantava a plenos pulmões, ou com o que restara dos meus. Foi uma balbúrdia total; demoraram a se acalmar. Voltei a receber a visita do médico somente quando os espíritos acharam por bem se retirar, deixando-me junto a Marcos, a meu pai e minha irmã. Estes dois últimos não se cansavam de orar e exclamar:

— O sangue de Jesus tem poder!

O tempo passou, e fiquei internado ainda uns poucos dias. Recebi a visita da saudosa D. Maria Pinto, companheira de ideal, que, na ocasião, ainda trabalhava no departamento de assistência social da União Espírita Mineira. Ela fez questão de reunir um grupo de jovens e realizar, durante um final de semana inteiro, uma espécie de vigília, com vibrações endereçadas a mim.

Naqueles dias, após minha libertação do CTI, fui também visitado por um espírito interessante. Apresentava-se à minha visão vestido de uma roupa verde-escura, com aspecto sujo, que fazia um ruído peculiar ao se movimentar, como se fosse feita de um plástico grosso ou lona. Havia ainda um odor desagradável que emanava de sua aura. Ele me torturava com ameaças, dizendo que acabaria com minha vida. E eu, nada evangelizado, enfrentava o espírito da maneira que podia, considerando o físico debilitado:

— Você não se atreva a tentar colocar fim à minha vida, pois, se conseguir, eu estarei na mesma dimensão que a sua. Aí, veremos quem é pior: você ou eu. Não pense que estou no espiritismo porque sou uma pessoa boa; estou na Doutrina neste momento porque preciso melhorar. Caso eu aporte do outro lado por interferência sua, eu é que serei seu perseguidor.

Após o diálogo atrevido e nada evangelizado, o companheiro espiritual Alex Zarthú me advertiu:

— Não te comportes dessa forma, pois não sabes do perigo que este espírito representa.

Noutra ocasião, o mesmo espírito retornou à minha companhia, e, a fim de me intimidar, pôs-se a contar a respeito das vezes que ele tentara interromper minha vida. Fez-me recordar de uma ocasião em que, à beira da janela do

11º andar de um prédio no centro da cidade, fui tomado de uma nítida sensação de que, caso pulasse, poderia voar; era ele que me inspirava. Fui distraído por alguém que me chamou à porta. Em outras três vezes, tentara jogar-me debaixo de um carro e, numa dessas tentativas, por pouco não conseguiu; foi detido pelo espírito José Grosso, que interferiu imediatamente, impedindo que eu fosse atropelado. José Grosso desferiu um golpe certeiro em minha face, obrigando-me a dar um salto que me salvou do acidente. Ótima forma de me salvar... Mas tudo bem, deu certo.

O tal visitante passou a relatar-me a série de fracassos que experimentara na tentativa de tirar a minha vida. Apontando para a janela do hospital, disse-me que eu estava usando uma arma poderosa contra ele, que eu não estava sendo honesto em nossa luta espiritual. Perguntei como poderia usar alguma arma, pois eu havia emagrecido entre 35 e 40kg desde os primeiros sinais de dor. Ele insistiu em apontar para a janela, para fora do hospital. Neste momento entendi o que ocorria. D. Maria Pinto reunira um grupo de 20 jovens do lado de fora do hospital, e, com um violão, entoavam canções para mim, como numa serenata diferente. É verdade, eu não conhecia a maior parte das pessoas. O que, por um lado, era mais impressionante, segundo afirmava o espírito.

O espírito se retirou sorrateiro e, ao mesmo tempo, com raiva, mas, sobretudo, sensibilizado. Ele havia se considerado vencido naquele momento.

Mais alguns dias haviam se passado, e eu retornei para casa, desejoso de voltar às atividades em nossa casa espírita, a Sociedade Espírita Everilda Batista. Tínhamos, na época, 45 crianças mantidas no trabalho que desenvolvíamos, de apoio familiar e promoção humana. Certo dia, já mais refeito, fui à casa espírita, e a primeira pessoa que encontrei foi Nina, voluntária que alimentava as crianças. Entre as meninas que vi ali, sendo atendidas, uma sobressaía devido à feiúra e ao completo desleixo na aparência. Sem meias palavras: era feia de doer.

Nesse exato momento, o mesmo espírito do quarto de hospital resolve aparecer novamente, após alguns dias.

(...)*

> * A respeito do texto aqui suprimido, o que se deu na 15ª reimpressão, consulte nota a esta edição logo a seguir.

A seguir, você lerá não apenas palavras sobre o papel, mas um trabalho que é fruto da experiência e do aprendizado que a vida proporciona a todos que sabem aproveitá-la. Que a busca por conhecimentos seja também a busca por sabedoria, conforme atestam os elevados ensinamentos que o espírito Joseph Gleber condensou nestas páginas, depositados com a legitimidade de quem soube, como ele, conquistá-los com muito esforço e auto-superação.

No ano de 2007 comemoramos várias datas, que motivam esta edição especial em cores, ilustrada e com capa dura. São 150 anos de publicação de *O livro dos espíritos*, lançado em 18 de abril de 1857, a obra inaugural de Allan Kardec e pedra fundamental do espiritismo na Terra. Em menor escala, mas igualmente um fato significativo para meu coração, comemoram-se 10 anos de lançamento do livro de Joseph Gleber, espírito que me assiste desde o parto e orienta nossas atividades com fidelidade absoluta, e que pôde, em virtude do trabalho que realiza, obter o reconhecimento de muitos espíritas sinceros pelo Brasil afora. É ainda o ano em que a Sociedade Espírita Everilda Batista completa 15 anos de existência — está debutando!

Por tudo isso, e pela oportunidade renovada de trabalho, é que deixamos aqui, nesta edição comemorativa, nosso muito obrigado aos espíritos; a você, leitor; à vida, enfim.

nota à 15ª reimpressão

FEVEREIRO DE 2009

BEM RECENTEMENTE, descobrimos que o mau espírito que apareceu no hospital durante minha internação enganou-nos durante longos anos. Supostamente abalado após fazer juras de vingança e dizendo-se convertido "pela força do amor", sua verdadeira história nos foi revelada apenas cerca de 10 anos após os eventos registrados nesta obra. No ano de 2008, por ocasião do lançamento do segundo volume da trilogia *O reino das sombras* — o livro *Senhores da escuridão*, do espírito Ângelo Inácio — o tal espírito foi desmascarado e suas relações conosco, que descobriu-se remontarem a 1979, finalmente expostas.

Para compreender as implicações e os pormenores desse episódio, consulte meu livro de memórias, *Os espíritos em minha vida*, lançado em novembro de 2008 (Casa dos Espíritos Editora). O capítulo 8, intitulado *O hipno*, trata exclusivamente do assunto (ver sobretudo o subcapítulo "A medicina da alma", nas páginas 356 a 364).

Uma vez mais, os guardiões demonstraram sua sabedoria ao lidar com uma situação tão complexa e a vida deixou claro quanto estamos o tempo todo aprendendo, sempre carentes de um olhar mais amplo e da condução dos benfeitores espirituais. Os detalhes do enredo, revelado especialmente pelo espírito José Grosso, mostra que tais acontecimentos têm relação direta com ampla investigação do plano sombrio, a qual deu origem aos livros da trilogia *O reino das sombras*.

biografia de Joseph Gleber
POR ROBSON PINHEIRO

JOSEPH GLEBER nasceu na cidade de Hoffenbach, na Alemanha, no dia 15 de agosto de 1904. Era filho de judeus e, como tal, encontrou dificuldades para completar seus primeiros anos de estudo, devido ao imenso preconceito reinante e à frieza com que era tratado, embora tenha nascido em território alemão. Depois de muito trabalho, de muita luta, dedicou-se com afinco aos estudos, transferindo-se posteriormente para a capital. No Instituto de Física da Alemanha fez o curso superior, graduando-se em física. Em seguida, viajou para a Áustria, onde se aperfeiçoou na Universidade de Viena. Ainda na capital austríaca, aproveitou o tempo para estudar medicina, o que lhe foi de imenso proveito, pois sabia, por intuição, que mais tarde enfrentaria grandes lutas em seu país, sendo um judeu nascido na Alemanha, e poderia beneficiar outras pessoas com o seu conhecimento a respeito da saúde e das enfermidades.

Após longa permanência na cidade de Viena, enamorou-se de uma jovem, igualmente filha de judeus, comerciantes da capital austríaca, cujo nome era Herta Misloy, nascida em Salzburg, na Áustria. Casando-se com ela, voltou para a Alemanha, indo morar em Berlim, onde passou a trabalhar com medicina e a lecionar física em comunidades judaicas, principalmente para aqueles mais pobres, atendendo gratuitamente em sua atividade médica. Em 1935 teve um filho, Rudolph, e outro em 1936, de nome Kleine, quando a saúde de sua esposa veio requerer maiores cuidados de sua parte. Passado o transtorno, pôde, em seguida, desenvolver longo contato com Enrico Fermi (1901-1954), físico italiano, o que lhe possibilitou maior aprofundamento em pesquisas atômicas junto com alguns cientistas que realizaram, na época, pesquisas nessa área.

Após esse período, em conseqüência dos estudos a que se dedicou em Viena, das muitas publicações que fizera em boletins especializados e, principalmente, das pesquisas realizadas sob a orientação de Albert Einstein (1879-1955) e outros grandes cientistas de então, Joseph Gleber foi convocado pelo governo da Alemanha para ingressar em sua equipe de física, pois seu conhecimento era tal que despertava admiração nos físicos e estudiosos do regime nazista. Logo no início da Segunda Guerra, em 1939, foram confinados em campos de estudo e laboratórios completos, que lhes foram cedidos para que desenvolvessem tecnologias com vistas ao aperfeiçoamento dos combustíveis utilizados pelos alemães. O Dr. Joseph Gleber não sabia que esses combustíveis alimentariam as destrutivas bombas voadoras, desenvolvidas por outro físico, as quais espalharam muito sangue na Inglaterra e fizeram sofrer multidões de vidas inocentes.

Os nazistas eram muito desconfiados e subdividiam seu trabalho em equipes independentes, para evitar espionagem, coisa natural num tempo de guerra. Por isso, essas pesquisas eram realizadas em etapas, de modo que apenas certos comandantes da inteligência hitlerista pudessem ajuntar as partes pesquisadas e montar o quebra-cabeça, isto é, chegar ao produto final. Isso se dava em todas as áreas, conforme nos relata o amigo Joseph Gleber.

Após a ofensiva na Inglaterra, os cientistas foram trocados de lugar, por razões de segurança, pois alguns deles estavam ilhados, sem muito contato com o comando supremo nazista. Foram todos orientados a desenvolver estudos e experiências, manipulando certos dados que lhes dariam subsídio para a criação da bomba atômica, pois, naquela época, já se sabia muito a respeito do assunto. O governo de Hitler indicou pessoas de sua confiança — alguns cientistas como Joseph Gleber, Oppenheimer[1] e outros físicos — para realizar os testes necessários à construção de uma bomba nuclear, visando à possível vitória sobre os outros países, a fim de

---

[1] O nome de Oppenheimer é geralmente associado ao domínio da tecnologia nuclear e ao desenvolvimento da bomba atômica por parte dos EUA. Questionado sobre o porquê de relacioná-lo entre os cientistas "de confiança do regime nazista", apontando-o como agente a serviço de Hitler — o que aparentemente constituiria um engano — o autor espiritual determinou que se mantivesse o nome do célebre pesquisador exatamente no contexto em que é citado. Segundo ele, compete às pesquisas humanas estabelecer os laços entre Oppenheimer e o governo totalitário; embora esse

submetê-los ao domínio tirano.

Joseph Gleber relata que percebeu a tempo o que se passava e as conseqüências, caso se dedicasse ao desenvolvimento desse projeto. Resolveu, então: não terminaria a parte que lhe competia, adiando ao máximo a sua conclusão. Muito embora os demais cientistas do regime já tivessem acabado o trabalho que lhes cabia, de nada adiantava, pois dependiam do seu, e ele nunca o dava por encerrado. Fala-nos o amigo Joseph Gleber:

> *Oppenheimer já terminara aquilo que lhe fora confiado nos estudos e experiências relativos à bomba; Von Brown, já muito adiantado em seus estudos, unira-se a outros cientistas a fim de mais rapidamente promover o poderio alemão; outros companheiros terminaram os testes e desenvolveram a sua parte, conforme foram solicitados, e eu, apenas, atrasava a minha parte, por chegar à conclusão de que não deveria participar desse projeto terrível. Foi quando o alto escalão do governo resolveu cobrar-me a parte confiada, pois, sem ela, não poderiam concretizar os planos da bomba atômica, e então descobriram que eu estivera protelando esse tempo todo, justamente para adiar o resultado, até que houvesse alguma interferência para impedir os desvarios do comando supremo da Alemanha. Sem as minhas pesquisas, ficariam impossibilitados de qualquer realização na área atômica. A minha decisão fora tomada após muitas lutas íntimas, pois eu sabia quais*

fato possa não estar demonstrado nas evidências conhecidas do grande público, prefere sustentar aquilo que, de acordo com seu ponto de vista espiritual, corresponde à verdade histórica.

riscos correria. Não somente eu, mas também minha família. Após meditar muito, recorrendo aos valores morais adquiridos em anos de lutas e dificuldades interiores, não hesitei. Preferi sacrificar a mim e aos meus a sentir na consciência o peso da destruição de milhões de vidas inocentes que sucumbiriam, caso a Alemanha obtivesse o domínio da bomba atômica.

Continuando, o amigo espiritual falou-nos:

E assim, no dia 13 de abril de 1942, fui levado, com minha mulher e meus dois filhos, para dentro de um forno crematório, e fomos todos cremados vivos. Até hoje me alegro por haver tomado essa decisão; pude constatar que foi graças a ela que o poder do III Reich não logrou seus intentos em muitas de suas iniciativas. Com certeza, os imortais que dirigem o nosso mundo confiaram em mim, e, em virtude dessa confiança e das convicções de meu espírito quanto aos valores eternos, continuei deste lado da vida a trabalhar para que meus irmãos pudessem compreender e valorizar a vida sob qualquer forma que ela se manifeste, com o apoio da Providência. Tenho certeza de que aquilo que realizei foi indicado por nossos amigos do mais alto, e, sendo assim, fui convidado a promover o estudo e o trabalho que auxilie nas tarefas às quais me dedico.

Agora, através deste trabalho — fazendo-se sempre presente, ora através da vidência, ora da audição e, na maioria das vezes, pela psicografia —, o amigo espiritual vem brindar-nos com alguns esclarecimentos acerca de diversos temas, embora todos tenham como cerne as questões que dizem respeito à saúde espiritual. Convém observar que esses apontamentos conservam um caráter pessoal, do seu autor espiritual; representam seu próprio pensamento, destituído de qualquer ortodoxia ou espírito sectarista.

prefácio
PELO ESPÍRITO ESTÊVÃO

A HUMANIDADE debate, ainda hoje, os conceitos e as manifestações das enfermidades e da saúde, tendo a ciência médica contribuído imensamente para amenizar os males que caracterizam as experiências humanas ao longo dos séculos. No entanto, embora os progressos alcançados por companheiros da ciência terrena, o homem não logrou alcançar o equacionamento dos problemas vivenciados, que desafiam a inteligência de cientistas e sábios do mundo.

Nas páginas deste livro, o companheiro espiritual Joseph Gleber demonstra o propósito de iluminar os caminhos daqueles que procuram soluções para os seus males, orientando, sob a ótica espiritual, a respeito das causas das dificuldades vividas por nossos irmãos.

Joseph Gleber é aquele irmão da Vida Maior que irradia a suavidade de seu pensamento sobre as pesquisas e os

questionamentos humanos. Seus conceitos são iluminados pela orientação da doutrina espírita, que nos mostra
uma nova visão da vida ante o universo das manifestações
fenomênicas nas muitas dimensões em que essa mesma
vida se apresenta.

Com certeza, suas palavras encontrarão a oposição
daqueles que se julgam detentores da verdade, cujas opiniões
se apresentam enferrujadas pelo tempo, nos limites estreitos
da ortodoxia e do personalismo. Mas nosso irmão, sem se
preocupar em formar partidos ou opiniões, limita-se a seu
comprometimento com a verdade imortalista.

Eis aqui, meus filhos, a palavra esclarecida e luminosa
desse amigo que nos traz sua contribuição na hora exata
em que mais se precisa de seu apoio.

Estêvão

[Psicografia do médium Robson Pinheiro, na Sociedade Espírita Everilda
Batista, no dia 7 de julho de 1996, em Contagem, MG.]

O espírito Estêvão assina dois livros de Robson Pinheiro: *Mulheres do Evangelho* e *Apocalipse: uma
interpretação espírita das profecias*. Versado em temas ligados ao contexto bíblico, escolhe o pseu-
dônimo *Estêvão* em homenagem ao apóstolo da era cristã, preferindo ocultar sua identidade real.
Sabe-se, contudo, que viveu na Judéia à época de Jesus.
Estêvão é um dos espíritos responsáveis pela orientação das atividades de Robson Pinheiro.

INTRODUÇÃO

novo paradigma

O HOMEM atual não aceita mais as explicações materialistas a respeito da vida, pois mesmo os homens de ciência sabem que, na vida, tudo é impulsionado para frente, expande-se e requer aprimoramento. Assim, o ser humano sente a necessidade de evoluir, crescer e obter respostas mais lógicas e coerentes para seus questionamentos íntimos, sob pena de sua vida tornar-se sem sentido e se perder em caminhos ermos.

Em contato com a doutrina espírita, o coração e a mente do ser humano modificam-se; não dessas modificações passageiras, todavia modificam-se pelo gozo espiritual, indizível, pois os conceitos expostos com base nessa doutrina dos Imortais agradam plenamente à razão[2] e ao bom senso, dilatando a visão espiritual, e demonstram, lógica e claramente, o esquema cósmico da vida.

MEDICINA DA ALMA

Neste livro, tentamos mostrar que a chave para resolver os problemas da vida humana não se encontra fora de nós, em uma ação externa, na ação da instrumentalidade científica ou na erudição dos velhos livros; tampouco na prolixidade que substitui a substância, na palavra de algum gênio ou filósofo que expõe o homem ao materialismo arcaico e o submete à sentença de uma ciência cega e utilitária. A mesma ciência que toma os valores imortais como questões místicas, mas se perde em meio ao caos das finanças, que substitui, em muitos casos, o compromisso do cientista, que deveria ser com a própria vida.

A proposta é apresentada, nestas páginas, à luz da doutrina espírita, como um novo paradigma para a medicina terrena e a certeza, para todos os meus irmãos, de que é na interiorização,[3] avançando e superando os limites de si mesmo, que se adquire a harmonização da vida; de que é através da grande viagem para os domínios do espírito, do conhecimento do Eu — escala primeira para os mergulhos nas profundezas do Si — que se faculta a oportunidade de autodescobrir-se em meio ao eterno transformismo do mundo dos fenômenos.

Os conceitos espiritistas, aliados ao conhecimento da realidade supradimensional do ser humano, com seus corpos energéticos, trazem uma nova resposta aos questionamentos atuais do homem. A conscientização da realidade espiritual abrirá novos campos de pesquisa para aquele que

[2] Tradicionalmente, os conceitos relacionados às questões religiosas não passam pelo crivo do raciocínio e da lógica. São obtidos por meio da intuição, das inspirações, das revelações, e os indivíduos não são incentivados — muito pelo contrário — a refletir a respeito, pois, também de acordo com a tradição, verdades de fé não devem ser questionadas. São os dogmas.

Ao contrário, os postulados da doutrina espírita foram estabelecidos por Allan Kardec a partir da pesquisa dos fatos que observou, em meados do séc. XIX. Ele questionou as inteligências desencarnadas — os espíritos —, submeteu as respostas às exigências da lógica e do bom senso, chegando a antecipar métodos utilizados pela moderna filosofia da ciência, e depois compilou as descobertas na obra que denominou *O livro dos espíritos*.

Os pesquisadores espíritas têm o incentivo de se pautar pelo legado de seu mestre: buscar coerência, submetendo intuições e revelações à pesquisa e à reflexão.

se propõe devassar as fronteiras da matéria e integrar-se à realidade imortalista da vida.

Em sua busca pela evolução biológica, pela eliminação do sofrimento e o extermínio da dor, o homem não poderá eximir-se de suas responsabilidades e da própria maturação psíquica e espiritual, que o fará compreender que certos mecanismos utilizados pela suprema lei, embora ofereçam certos incômodos à sua vida comodista, são recursos necessários ao seu despertamento e ao seu amadurecimento íntimo. Além disso, a consciência da realidade da dimensão extrafísica o fará encontrar-se consigo mesmo, enquanto as experiências advindas desse reencontro, desse autodescobrimento, é que decidirão a respeito do que se convencionou chamar de saúde ou enfermidade.

Eis aqui a proposta do nosso trabalho: devassar, aos olhos de meus irmãos, a realidade da vida em outros campos vibratórios da existência, com suas leis e suas implicações para os estados conscienciais almejados por todos. Além disso, ampliar os horizontes da ciência com pesquisas que, sem guardar a pretensão de oferecer a última palavra, possam delinear uma nova perspectiva, um novo campo de trabalho e estudo: a fisiologia integral do ser, sua maturação psíquica e a realidade de uma vida que penetra os domínios da energia, além dos limites estreitos da matéria, agora ampliados pela dinâmica dos conceitos holísticos,[4] mais de acordo com a etapa evolutiva que a humanidade adentra por processo natural.

---

[3] A doutrina espírita tem sido entendida não apenas como filosofia, ciência e religião, mas também como proposta pedagógica. Por conduzir o indivíduo à compreensão abrangente e sistêmica do universo, de seu próprio comportamento e das causas e conseqüências dos fatos, ela o capacita à autotransformação, não pela pressão ou imposição, mas porque lhe permite deduzir que é pela mudança de atitudes que as situações se transformarão.

Compreendendo os postulados espíritas, ele conclui que não se libertará do sofrimento enquanto não se candidatar a um processo de autodescoberta e autotransformação, buscando, na reeducação da alma, a transformação das causas dos males que o afligem. Descobre, pela reflexão e observação dos fatos, que o restabelecimento de sua saúde ou a solução para seus problemas jamais chegará por milagre, sem esforço pessoal.

O assunto será aprofundado no capítulo 8 desta obra.

[4] A *holística* é uma maneira de ver o mundo, em fase de assimilação e ainda mal compreendida, porque muitos pensam que ela nega o passado, especialmente o paradigma newtoniano-cartesiano. O termo vem até mesmo sendo substituído por outros, em virtude de seu esvaziamento de sentido, causado pelo uso abusivo por parte de pessoas que parecem não tê-lo compreendido.

A visão holística propõe que as coisas sejam consideradas em sua totalidade, um contraponto à visão cartesiana, que busca analisar tudo, dividir em partes para conhecer, considerando que a vida se manifesta de forma fragmentada.

Holos significa *totalidade*. Uma percepção holística do ser humano, por exemplo, leva em consideração os aspectos biológicos, psíquicos, sociais e espirituais, que são simultâneos e interdependentes. Joseph Gleber adota essa visão em toda a obra; isso ocorre, por exemplo, quando propõe que as diversas dimensões do indivíduo sejam consideradas no processo terapêutico.

Foi Jan Smuts (1870-1950), estadista da África do Sul, que criou a palavra *holismo*, por volta de 1920, definindo-a como "A tendência da natureza a formar, através de evolução criativa, todos que são maiores que a soma de suas partes". Ou seja: as propriedades de um sistema não podem ser explicadas apenas pela soma de seus componentes.

CAPÍTULO 1

saúde e doença

EMBORA A ciência humana tenha alcançado resultados dignos de nota, no que concerne ao estudo dos mecanismos subjacentes à enfermidade e à saúde, encontrar-se-á ainda distante da causa original enquanto não acordar o pensamento para o conceito espiritualista a respeito da vida e da saúde.

Na verdade, a medicina oficial da Terra conseguiu, ao longo dos anos, eliminar diversas epidemias e ajudou a curar milhões de pessoas na modalidade de tratamento que podia prescrever-lhes. No entanto, esbarra ainda em dificuldades insuperáveis momentaneamente, pois, em número sempre crescente de vezes, os sintomas patológicos mórbidos apenas se transferem de lugar, cedendo-o a outros tipos de doenças,[5] que igualmente desafiam a inteligência científica deste século.

Há que se voltar para as realidades que transcendem o

[5] Enquanto a medicina tradicional abordar a doença com foco no sintoma, deparará com desafios intransponíveis na busca da cura. O indivíduo é um todo: físico, emocional, espiritual, social. Ele não é o seu sintoma. Utilizando medicamento para tratar o sintoma, e não a causa, a medicina tradicional poderá crer que o mal desapareceu. Porém, mais tarde outra doença poderá se manifestar. Segundo a homeopatia, muitas vezes a supressão de um sintoma é arriscada, porque a doença tende a se aprofundar, escolhendo órgãos mais importantes para se manifestar. Por exemplo, quando utilizamos um medicamento para dor de cabeça e ela desaparece, não significa que foi curada. A causa da doença poderá permanecer ativa e voltar a se manifestar em outro ponto do organismo.

cientificismo puramente acadêmico; há que se acordar para o realismo da vida imortal e seu desdobramento conseqüente, na estrutura íntima do ser.

Uma das principais razões pelas quais o homem científico ou a própria medicina terrena rejeitam atualmente certos métodos alternativos[6] de cura é o fato de encararem o homem apenas como um agregado de células, músculos e nervos que, na verdade, constituem tão-somente seu veículo fisiológico. Dessa maneira, não podem, com os métodos habituais, penetrar mais profundamente na natureza íntima e peculiar a todo ser vivo. Devido ao orgulho, afastam qualquer possibilidade menos ortodoxa ou acadêmica de perscrutar além da matéria física.

Com base em fatos sobejamente pesquisados e provados por um número satisfatório dos cientistas encarnados, por indicações e demonstrações inquestionáveis a respeito do *continuum* da vida, pode-se constatar que, apesar de o cérebro ser comparado por muitos a um computador complexo, ele tem necessidade de um agente para instruir o sistema nervoso a respeito de como deve agir e fazer. Esse agente, essa entidade capaz de utilizar o biomecanismo, imprimindo-lhe o direcionamento consciente de sua individualidade, é o que denominamos espírito ou alma.

Do domínio do espírito fazem parte os campos de energia multidimensionais, que já são pesquisados na Terra

---

[6] A *tendência* atual (note-se que a primeira edição deste livro é de 1997) é substituir a expressão "medicina alternativa" por "medicina complementar". Isso, por se compreender que os métodos terapêuticos não convencionais, integrativos ou holísticos não constituem *alternativa* à medicina clássica, tradicional ou alopática, mas precisam ser utilizados de forma que um complete o outro naquilo que lhe falta, em determinada circunstância e de acordo com a necessidade do indivíduo.

por muitos desbravadores das potencialidades da mente, embora já fartamente descritos e pesquisados através dos séculos por espiritualistas e sábios que, com sua competência e seriedade, puderam constatar a realidade desse sistema *magnetoetérico,*[7] que apenas agora os irmãos encarnados dedicados às academias e institutos científicos da Terra começam a devassar.

Visto da ótica real — uma vez que deste lado de cá da vida já estamos estudando estruturas mais complexas de manifestação da consciência —, o ser humano, ou todo organismo vivo, mobiliza e metaboliza uma variedade de energias dentro da faixa eletromagnética e astral. Dessa forma, suas emoções, seus sentimentos e pensamentos impregnam o seu próprio meio, como a si mesmo, do reflexo de suas tendências e criações subjetivas, de vibrações cuja freqüência e irradiação se espalham em torno de si.

Poderíamos falar de uma *psique de estados conscienciais.* Todos os pensamentos, ações, emoções, intenções, angústias, fobias e alegrias representam energias, que de certa forma gravitam em torno do psiquismo humano, sendo os de teor vibracional negativo em quantidade maior, devido à inferioridade relativa do ser humano na atualidade. Se essas energias atingirem assim a estrutura sutil do psicossoma ou corpo espiritual, tais estados emocionais, uma vez abrigados no íntimo do ser, causarão um bloqueio energético que se fará notar, na periferia física, como enfermidade ou estados

---

[7] Joseph Gleber se refere aos *sete campos de energia.* Encontramos em diversas culturas, das mais antigas às mais atuais, a menção ao fato de o ser humano ter mais de um corpo. Tais idéias, bastante difundidas entre os orientais, chegaram ao Ocidente por intermédio da teosofia. De acordo com a *Wikipédia* (a enciclopédia virtual livre), para a teosofia tais corpos — que ela denomina os *sete princípios do homem* — são os veículos que o indivíduo possui para manifestar-se nos diversos planos. Em seu conjunto formam a *constituição setenária* do homem.

Saúde e doença: momentos nos quais a pessoa deixa transparecer os conteúdos emocionais com maior intensidade.

patológicos catalogados como doenças. Invisível para grande parte dos encarnados, a conexão entre o corpo físico e as forças psíquicas do espírito detém a chave para os progressos que se possam efetuar na área da saúde do ser humano.

Somente aprendendo-se a utilizar as capacidades do psiquismo humano de forma mais ampla e equilibrada e acordando para a realidade do ser como espírito imortal, que se reveste de um corpo de natureza mais sutil — cheio de sistemas e funções complexas, que regem desde informações e conhecimentos transmitidos pelo DNA até as demonstrações inteligentes de um ser consciente na vida comum —, é que se fará com que a ciência terrena aproxime-se da ciência espiritual. Através do estudo das leis morais em relação ao espírito, o homem poderá ver a íntima ligação dos estados superiores de consciência com os quadros de saúde.

Vemos que é a partir do corpo espiritual ou astral, também chamado psicossoma, que será possível uma visão mais ampla a respeito do equilíbrio entre corpo e espírito — a que denominamos saúde. É somente através de uma visão mais integral do ser pensante, do estudo de seu corpo perispiritual, que poderemos lograr êxito em qualquer avaliação do equilíbrio energético.

A saúde, a enfermidade ou a doença apresentam-se não apenas como estados detectados e enumerados pela nomenclatura da medicina convencional, mas ampliam-se, no conceito, com o conhecimento dos mecanismos e das funções tanto do perispírito — o corpo semimaterial, veículo de expressão da consciência —, quanto do duplo etérico e da realidade multidimensional do homem, abrangendo assim todo um sistema energético e moral em que o ser pensante se encontra engendrado, por imposição da própria evolução anímica.

Na medida em que tomamos os estados emocionais, as disfunções da moral e do sentimento como energias latentes e atuantes através do psiquismo humano, podemos, com toda a certeza, afirmar que o comportamento equilibrado, a atitude sadia e a prática dos preceitos morais segundo nos ensina o Evangelho estão longe de se constituírem atividades puramente religiosas ou místicas; são, na verdade, uma resposta científica de nível energético superior. Ora, sabendo que tais atitudes e comportamentos geram e nutrem correntes de energias ou campos magnéticos que, comprovadamente, influem de forma positiva e eficaz no equilíbrio e na harmonia do cosmos orgânico-espiritual, a terapêutica evangélica soa-nos como uma fórmula de quimismo espiritual, pois interfere diretamente nos campos de vibrações responsáveis pela interação espírito-perispírito-corpo físico, produzindo o estado de saúde psicofísica.

Eis que a terapia dos ensinamentos evangélicos e espiritistas, convidando-nos a realizar a reforma em nossas vidas, transformando comportamentos, palavras, ações e sentimentos, é, na realidade, o recurso por excelência que elevará o *quantum* vibratório do psiquismo do ser, extravasando para o físico as manifestações saudáveis de suas vivências íntimas.

perguntas e respostas

1. Qual a maior contribuição da doutrina espírita para auxiliar as modernas terapias?[8]

A doutrina espírita traz a contribuição de seus postulados, ao demonstrar a imortalidade da alma, a reencarnação e a vida futura, enriquecendo os conceitos da psicologia moderna, da psiquiatria ou da própria ciência médica com o que ensina a respeito do perispírito, do duplo etérico, das leis dos fluidos, da lei de causa e efeito e de seus desdobramentos na vida dos homens. Compete então aos profissionais da ciência abdicar de seu orgulho inútil e desbravar os conceitos espiritistas, a fim de não se perderem em meio ao emaranhado de idéias que se desenvolvem atualmente, sem conseguir atingir o objetivo profundo que está atestado na existência do espírito imortal.

[8] As questões aqui propostas foram formuladas pela equipe de voluntários da Sociedade Espírita Everilda Batista — instituição sem fins lucrativos, parceira da Casa dos Espíritos Editora, localizada na região metropolitana de Belo Horizonte, MG —, assim como por médicos e psicólogos espíritas que leram a primeira parte do livro *Medicina da alma* ainda no prelo.

capítulo 2
conceito holístico

DIANTE DA evolução do pensamento e dos conhecimentos atuais no ramo da física quântica, dos conhecimentos do próprio universo, das leis que regem as estruturas íntimas de todas as coisas, torna-se ilógico conceber o ser humano apenas como um ser constituído de matéria. A realidade cósmica de que o ser transcende as formas que ele habita é incontestável. Impõe-se uma nova visão ao homem do presente século. Um conceito mais amplo da vida, um modelo energético supradimensional do homem e do universo, com a sua realidade espiritual, hiperfísica e eterna, não poderá mais ser ignorado por meus irmãos estudiosos e cientistas.

Enquanto o homem terreno insistir na negação dessa realidade energética da vida, da sua relação com o cosmos, colocando suas dúvidas como um intransponível abismo entre a compreensão da vida e a própria vida, estará copiando a posição do cego que, à semelhança de alguns pesquisadores de parapsicologia, apalpa primeiramente, para depois, exaustivamente, certificar-se de algo.

Os métodos de pesquisa e estudo exigem uma certa sensibilidade. Nas questões de que tratamos nestas mensagens, o método cartesiano, sozinho, falha, quando pretende resolvê-las. As pesquisas puramente racionais pretendem ser acessíveis a todos, esclarecendo os homens, mas as leis da vida têm os seus próprios métodos para que se revelem à sabedoria ou ao conhecimento humanos. Fecham-se àqueles que lhe penetram os umbrais sem o devido respeito, sem reverência, com frias observações, e abrem-se às formas mais sutis de observações, às manifestações de sensibilidade do espírito, que, aliadas à razão, ao bom senso, promovem novos métodos psíquicos de desbravamento dessas mesmas leis, embora isso possa nem ser cogitado por aqueles que se dizem pesquisadores e se julgam sábios.

Não tem qualquer importância, ante a grandeza que se desdobra na vida hiperfísica ou extrafísica, a posição de escritores, pastores, universitários, médicos ou sábios do mundo. A percepção dessa vida cósmica não é obra da cultura ou apenas das elucubrações racionais, da maneira como pretendem muitos dos que se dizem sábios; depende, antes, da maturidade psíquica, biológica e espiritual, a que nós chamamos evolução.

A alma humana, embora os progressos do século atual, continua ainda presa ao determinismo da matéria, mais que à liberdade íntima do espírito. As irradiações do mundo extrafísico se entrosam ao infinito, como tênues fios que interligam todos os seres da criação, e, com essas irradiações fluídicas, energéticas, mentais, entrosam-se as consciências mais ou menos evoluídas, suportando muitas vezes as tensões inauditas dos desdobramentos psíquicos, conforme o seu padrão moral. Dessa forma, diversificam-se ao infinito as vibrações da vida, conforme a etapa evolutiva em que o ser se encontra no universo. A ciência do homem material e materialista tende a metamorfosear-se na ciência espiritual, pois a lei divina conduz o pensamento humano a expressões cada vez mais amplas, a faixas cada vez mais sutis, a métodos cada vez mais psíquicos de trabalho, pesquisa e realizações, que perduram como patrimônio inalienável da alma.

O conceito cósmico, holístico da vida coloca o homem de bem, o pesquisador sério em intercâmbio direto com outras faixas de energia e multiplica-lhe as possibilidades de crescimento, de maturação psicológica; coloca-o em relação constante com o plano etéreo da vida, seus habitantes e suas leis, atingindo regiões de belezas indescritíveis, superconcebíveis, e desdobra-lhe, ante o raciocínio e a sensibilidade psíquica, a realidade dos organismos sutis de que o espírito se reveste em sua marcha rumo ao infinito.

As modernas descobertas e pesquisas da física quântica[9]

Durante o processo de meditação, prece e conexão com o Alto, a aura torna-se mais intensa, brilhante e atinge maior poder magnético. Os chacras irradiam mais força e são alimentados com energias superiores.

levarão os homens a entender conceitos comuns ao vocabulário espiritista, como a telepatia, a possibilidade de os espíritos se transportarem através do pensamento a distâncias inimagináveis, a forma e a vida dos seres extrafísicos, que normalmente se chamam de espíritos.

Não há mais lugar para as concepções estreitas do materialismo, pois a vida se incumbiu, por suas leis, de promover a elevação do pensamento humano e da própria sensibilidade da alma — a mediunidade ou paranormalidade — às manifestações da energia, à evidência dos fluidos, à grandeza da vida moral, com suas implicações para o destino do homem. O universo espera ser devassado pelo pensamento humano, e a própria vida transborda de energias e seres, aguardando o momento de o homem terreno despir-se de seu orgulho e de seus títulos e posições ridículas com vistas a alcançar a maturidade íntima, que o fará verdadeiramente um ser cósmico, um filho da vida.

perguntas e respostas

1. Qual o futuro da medicina em nosso planeta?

As bases da medicina do futuro já foram estabelecidas pelo Médico das Almas, há quase dois mil anos, quando trouxe para a humanidade os ideais de amor e fraternidade que, no futuro, guiarão os meus irmãos em suas atividades no convívio com o próximo. A terapia do amor será a forma ideal de estabelecer o equilíbrio das almas em evolução no planeta terreno, e o amor será a norma ética de com-

[9] De fato, a física quântica tem colaborado com conceitos e percepções, despertando cientistas, filósofos, bem como profissionais de todas as áreas, para uma visão mais ampla da vida e da natureza.

Apesar de ser ainda uma grande desconhecida, por sua complexidade, muitos têm se apropriado de suas descobertas para conferir credibilidade a suas práticas, sejam elas terapêuticas ou religiosas. Existe extensa literatura sobre o assunto, elaborada por pessoas às quais muitas vezes falta embasamento para discorrer sobre essa matéria extremamente complexa.

Não se pode esquecer, quanto a isso, a competência de Joseph Gleber para discorrer sobre o assunto, haja vista seus conhecimentos e sua experiência na área da física (ver biografia do autor, nesta edição).

portamento para os profissionais de todas as áreas que continuarem seu trabalho na Terra renovada.

2. Existe um planejamento no Mundo Maior para despertar os cientistas e médicos para a realidade espiritual do ser humano?

Logicamente, não ignoram meus irmãos que todo progresso do mundo guarda sua fonte nos planos imortais da vida, do que se pode deduzir que a própria vinda do Consolador, como uma ciência divina, reflete o esforço maior do mundo espiritual para a espiritualização não apenas de uma área do conhecimento humano, mas de toda a humanidade.

3. Existe algum método indicado pelos amigos espirituais para se manter em sintonia com o Alto, na tarefa da medicina na Terra?

A boa vontade e a eliminação do orgulho que domina meus irmãos, a fraternidade e a legítima disposição de agir em benefício do próximo — eis a melhor maneira de agir em sintonia conosco.

4. Será o conceito de holística, a respeito da vida e do universo, uma forma de aproximação da ciência com a realidade do espírito?

Todo progresso que se verifica na atualidade, no campo das idéias, surge como esforço do Plano Superior para conduzir o homem terreno a mais ampla compreensão da vida. Certamente, o conceito desenvolvido de que a parte está intimamente relacionada com o todo, que todas as formas de vida são solidárias entre si e que a harmonia do conjunto é o resultado do equilíbrio dos indivíduos é um conceito que vem, a seu tempo, corroborar o que a doutrina espiritualista tem falado ao longo do tempo. A amplitude das idéias irá se mostrando ao homem à medida que for sendo levantado o véu que lhe cobre os sentidos grosseiros e que, aproximando-se da dimensão espiritual, banir o orgulho que lhe domina o espírito imperfeito. Só assim logrará a ciência humana a identificação com os postulados da ciência divina.

fluidos e microorganismos

Nos domínios da natureza e em todos os reinos conhecidos do homem, a ação dos espíritos superiores é de grande eficácia para a terapêutica desenvolvida em favor da humanidade terrena. Com base nas leis do mundo espiritual, nos fluidos que compõem a atmosfera psíquica do orbe terreno e nos próprios fluidos disseminados pelo espaço, sob o influxo das mentes já desenvolvidas e espiritualizadas, que neles imprimem sua vontade, para as criações mentais de ordem superior, utilizamos os recursos dispersos pela natureza — tais como microrganismos e microcélulas, extraídas dos reinos mineral ou vegetal ou, ainda, das profundezas dos oceanos — a fim de compor medicamentos que sejam empregados no auxílio a meus irmãos encarnados ou mesmo aos desencarnados que se encontram em tratamento nas colônias espirituais adjacentes à psicosfera terrena.

Valendo-se freqüentemente da atuação dos seres elementares,[10] com seu psiquismo em ascensão, os quais se afinizam com tal ou qual magnetismo de determinados setores da natureza, temos acesso aos diversificados subprodutos desses domínios, desde os mais simples aos mais complexos, ou, ainda, a certos elementos extraídos ou estruturados em matéria fluídica dispersa pelo espaço sideral. Muitas vezes trazemos de outros orbes, empregando processos de difícil compreensão por parte de nossos irmãos encarnados, inúmeros elementos de que nos utilizamos no grande laboratório do Mundo Maior.

A extração ou produção desses recursos é realizada por equipes especializadas, que, deste lado da vida, dedicam-se a estudos de química e biologia, no compêndio das ciências siderais. Tais equipes de espíritos sábios desenvolvem sua atividade nos domínios subatômicos, com instrumentalidade estruturada em luz coagulada[11] e moldada sob a energia mental dessas entidades de elevada estirpe espiritual.

Embora os avanços da ciência da Terra nos campos da microbiologia, da genética ou nas conquistas do átomo, deste lado, nas colônias de estudo da espiritualidade, de onde partem as idéias e intuições, descobertas ou invenções que constantemente enriquecem os estudos na Crosta, já estamos trabalhando nos domínios do *laser* líquido, de coágulos de luz, da luz sideral[12] e sua aplicação no progresso

[10] Para maiores esclarecimentos sobre os elementais naturais, consultar o cap. 7 do livro *Aruanda* (Robson Pinheiro pelo espírito Ângelo Inácio). O livro *Legião*, do mesmo autor, contém diversas menções aos elementais. Transcrevemos a nota 27 do cap. 8 dessa obra:

O nome utilizado por Kardec para se referir aos elementais é, na verdade, espíritos da natureza. Contudo, como se pode verificar nas questões em que o tema é abordado, em O livro dos espíritos, o nome é genérico, pois abarca tanto os espíritos de transição, pré-humanos, como as almas superiores, que coordenam os fenômenos naturais. Por essa razão, corriqueiramente os autores espíritas têm adotado a nomenclatura esotérica, elementais, quando desejam fazer alusão aos de evolução primária. Apesar de extenso, optamos por reproduzir o trecho, altamente esclarecedor em diversos aspectos: "Formam categoria especial no mundo espírita os Espíritos que presidem aos fenômenos da Natureza? Serão seres à parte, ou Espíritos que foram encarnados como nós? 'Que foram ou que o serão'. A) Pertencem esses Espíritos às ordens superiores ou às

da civilização em todas as áreas do conhecimento — como, por exemplo, nos trabalhos de mediunidade de cura, com seus efeitos benéficos para meus irmãos. Em trabalho direto com a intimidade dos fótons, utilizando seu magnetismo e separando-o do domínio geral da energia luminosa, os espíritos responsáveis, engenheiros siderais, conseguem aprisionar a partícula de luz, trabalhando com seu potencial, milhões de vezes mais poderoso que a liberação da energia atômica. É um recurso empregado em diversos setores no Mundo Maior, inclusive na ciência médica espiritual, como na produção de medicamentos para aplicar naqueles que, uma vez merecedores, necessitam de tal intervenção.

As pesquisas da física quântica, da biologia, da genética e de outros desdobramentos da ciência terrestre estão sendo inspiradas por eméritos companheiros do mundo espiritual, que orientam e inspiram os desdobramentos científicos da Crosta, visando aproximar os dois campos dimensionais onde se manifesta a vida, o psiquismo, no universo infinito, com a natural compreensão de inúmeros problemas considerados ainda insolúveis pelo padrão atual de conhecimento humano.

Pelo exposto até aqui, meus irmãos podem ter uma pálida idéia dos recursos de que dispomos deste lado para auxiliar os nossos companheiros da Terra. No entanto, há que se melhorar muito a vibração do pensamento humano, através da vivência moral, a fim de que esses recursos da

---

inferiores da hierarquia espírita? *'Isso é conforme seja mais ou menos material, mais ou menos inteligente o papel que desempenhem. Uns mandam, outros executam. Os que executam coisas materiais são sempre de ordem inferior, assim entre os Espíritos, como entre os homens'.*" (Op cit., item 538: Ação dos espíritos nos fenômenos da natureza.)

MEDICINA DA ALMA

[11] Para entender melhor a respeito da *luz coagulada*, tecnologia desenvolvida pela ciência sideral, consultar as questões dirigidas ao espírito Joseph Gleber ao final deste capítulo.

[12] Para o leitor que vê como fantasiosas ou surreais as afirmações de Joseph Gleber, basta fazer o mínimo exame de memória para constatar como o advento de muitas tecnologias, por mais convencionais que pareçam num futuro próximo ao seu lançamento, não surgem sem provocar comoção, surpresa e até mesmo incredulidade em seus contemporâneos. Foi assim com o aparecimento da fotografia, do rádio, do automóvel... Quem nasceu no início do século xx no Brasil, por exemplo, acompanhou o surgimento das telecomunicações, tendo que esperar horas,

ciência espiritual sejam conduzidos a meus irmãos.

Lamentavelmente, vemos muitos dos médicos da Terra preocupados mais com a aquisição de recursos materiais, engordando sua poupança bancária, que com o estudo e a pesquisa dos ascendentes espirituais nas diversas anomalias e disfunções que ainda caracterizam o estado difícil em que se encontra a massa humana. Enquanto deste lado nos esforçamos para passar as idéias e intuições, para auxiliá-los na divina missão a que deveriam se dedicar, presenciamos muitos destes irmãos, não todos, felizmente, aproveitando do prestígio que a classe lhes oferece para viver na regalia e no fausto, enquanto o sofrimento e a dor abatem milhões de criaturas.

Aqueles que abraçam a medicina como verdadeiro sacerdócio, como auxiliares de Jesus, o grande médico de nossas almas, já despertaram em si o sentimento elevado e um padrão mental mais amplo, o que nos faculta utilizá-los como instrumentos preciosos no amparo e socorro a muitos que choram, pelos vales da dor, nos círculos da habitação humana. Aproveitando os recursos sagrados que a bondade do Pai nos proporciona, através dos estudos, das pesquisas e dos experimentos realizados nos laboratórios do mundo espiritual, sob a orientação de espíritos já clarificados pelo conhecimento e pela moral superiores, podemos trabalhar em comum acordo com os irmãos encarnados, sejam cientistas, médicos, terapeutas ou médiuns, que entrem em sintonia,

às vezes dias, para se completar uma chamada interurbana. Hoje, pode assistir à popularização dos celulares, da internet e da comunicação via satélite e sem fio, trocando não só voz, mas dados, ao passo que contempla a decadência de equipamentos outrora pioneiros, como o telex, o fax ou os meios magnéticos de armazenar dados, como as fitas cassete e vhs ou os disquetes de computador. No contexto espírita, é interessante citar o livro *Memórias de um suicida* (Yvonne do Amaral Pe-

através de suas realizações, com nosso campo mental.

Muitas vezes, por meio de recursos magnéticos, transportamos as microcélulas ou os microrganismos de diversas procedências para as águas, fluidificando-as, dotando-as de capacidades medicamentosas, ou utilizamos tais princípios da química sideral para ampliar o potencial de cura dos medicamentos homeopáticos ou florais, e até mesmo os alopáticos, transformando suas propriedades conforme cada caso o exija, sempre em benefício de nossos irmãos, aliando a terapia espiritual aos recursos já descobertos no plano físico.

Quando o profissional da saúde — médico, enfermeiro ou outro terapeuta que trabalha para a melhora do homem — é dotado de certo senso moral ou conhecimento espiritual, torna-se fácil captar as correntes mentais superiores e a natural quão eficaz interferência dos prepostos do Cristo, no auxílio ao ser humano. Dessa forma, pode-se elevar a medicina terrena, ou as diversas terapias existentes, ao grau de sacerdócio, tornando-se assim os trabalhadores encarnados, juntamente conosco, seus irmãos desencarnados, auxiliares da divina sabedoria no serviço do equilíbrio e da harmonia universal.

Importante, contudo, é que aqueles meus irmãos que se utilizam tanto da terapêutica terrena quanto da espiritual se conscientizem do grau de envolvimento que as entidades superiores têm para auxiliar os amigos encarnados. Muitos

reira, FEB, 1954), que foi severamente criticado por descrever um aparelho que transmitia imagens, antecipando a popularização da televisão, já que a obra foi concluída cerca de 12 anos antes de sua publicação. De toda forma, a história recente demonstra sobejamente a incompetência humana para proclamar o que será possível ou impossível dentro de períodos que cada vez estão mais curtos, como daqui a 5 ou 10 anos.

Magnetização das águas. Através das mãos do magnetizador, fluem energias benéficas, curativas, que são absorvidas pela água e lhe conferem propriedades terapêuticas.

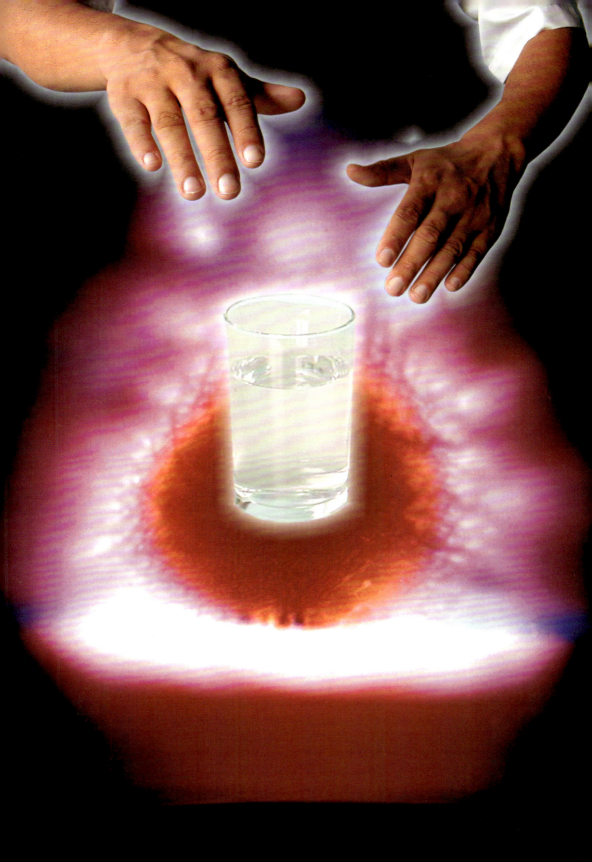

procuram o recurso da medicina espiritual, pela orientação mediúnica, e são conduzidos para o tratamento específico através da fluidoterapia ou de outros recursos empregados por nós para o reequilíbrio psicofísico de meus irmãos.

Movimentando energias e possibilidades terapêuticas que são dinamizadas através da água magnetizada ou do passe magnético espiritual, no tratamento de diversos estados enfermiços detectados na intimidade orgânica ou no recôndito do espírito, muitos que procuram tais tratamentos menosprezam o concurso dos espíritos, não seguindo a orientação prescrita, principalmente quando esta vem acompanhada de conselho do amigo espiritual para a mudança de vida, com a chamada reforma íntima. É que muitos desses princípios medicamentosos que são materializados na água para o tratamento, ou transmitidos a partir do magnetismo espiritual, necessitam de clima psíquico adequado para produzir o efeito desejado. Como muitos consideram incômodo o fato de ter que fazer uma reforma moral, pois isso exige certo trabalho de reeducação, abandonam o conselho espiritual, esperando curas milagrosas, que não ocorrerão, ou intervenções sobrenaturais, complexas e mirabolantes. Uma vez que não acontecem, lançam descrédito nos sistemas empregados pelos companheiros espirituais, perdendo a oportunidade bendita de refazer-se moralmente, reestruturando sua intimidade de acordo com os planos sublimes da vida.

Outra coisa é que a grande maioria dos que procuram as casas espíritas, ou o concurso de médiuns responsáveis em seu trabalho mediúnico, não são devidamente esclarecidos para o fato de que o espiritismo não visa à cura física do ser humano, e tampouco os espíritos intentam competir com a medicina terrena; nosso campo de trabalho é o espírito imortal. Qualquer recurso que porventura possamos empregar em favor dos nossos irmãos encarnados objetiva, principalmente, a recuperação do espírito, sua elevação espiritual e conseqüente harmonia com as leis divinas. A cura física acontece em decorrência da necessidade e do merecimento de cada um, acima de tudo. Muitas vezes, a enfermidade é uma necessidade do espírito, segundo seu passado espiritual, e, outras vezes, convém ao Alto manter o estado de debilidade orgânica de companheiros encarnados, pois a dor funciona como uma cerca que a divina sabedoria prudentemente coloca em torno de muitos irmãos, impedindo-lhes maiores quedas morais, que gerariam — quem sabe? — séculos de dores e lutas acerbas nas expiações futuras.

Convém que meus irmãos possam compreender que não somente os recursos da ciência médica espiritual são empregados para o auxílio à humanidade. Em larga escala, os companheiros de mais alto lançam mão da própria dor, das próprias dificuldades para beneficiar meus irmãos. O sofrimento físico funciona inúmeras vezes como terapia de emergência, evitando o sofrimento espiritual. Moléstias

[13] A psicologia moderna ocidental é dividida em quatro grandes correntes ou abordagens, denominadas *forças*. A quarta força é a psicologia transpessoal, surgida a partir das idéias desenvolvidas pela psicologia humanista. Abraham Maslow, considerado fundador desta, observou a importância de que os indivíduos vivenciassem o aspecto transcendente da vida e ultrapassassem a forma dualista de abordagem da realidade, buscando compreender a existência de forma holística, integrada. Declarava que a falta do transcendente nos torna doentes, violentos, niilistas, vazios de esperança e apáticos. Na segunda edição do livro *Introdução à psicologia do ser*, Maslow anuncia o aparecimento da quarta força em psicologia. Victor Frankl, Stanislav Grof, James Fadiman e Antony Sutich uniram-se a ele e oficializaram, em 1968, a psicologia transpessoal, enfocando o estudo da consciência e o reconhecimento das dimensões espirituais da psique. Essa vertente da psicologia surgiu em resposta ao fato de que as três primeiras forças — behaviorismo, psicanálise e humanismo — eram consideradas, por muitos pesquisadores, limitadas em seu reconhecimento de dados relevantes para um estudo completo do ser humano. Embora suas inegáveis contribuições, traziam limitações para o

graves, na medida em que obrigam o homem a permanecer acamado, freqüentemente lhe proporcionam a oportunidade de rever seus posicionamentos ante a vida, modificando assim seu padrão vibratório. Aos olhos das pessoas que não despertaram ainda para a realidade espiritual, são simples incômodos físicos, mas aqueles que compreendem as leis da vida verão o próprio remédio, que, embora amargo, é de inquestionável eficácia para a recuperação da saúde espiritual.

A moderna psicologia, com o desdobramento do que se chama de a *quarta força* — a psicologia transpessoal[13] —, vem em momento oportuno auxiliar o homem em seu autodescobrimento. É ferramenta importante para o aprimoramento do eu profundo ou do espírito em sua marcha evolutiva, atuando como bisturi da ciência para realizar a cirurgia na alma em sua descoberta interior. Naturalmente inspirada pelo plano maior, é um recurso que surge nesta hora em que o homem precisa de ajuda para transpor os limites da personalidade e elevar-se às regiões superiores de seu próprio psiquismo. É a lei da vida que interage nos dois planos para a elaboração da consciência cósmica da humanidade.

FLUIDOS E MICROORGANISMOS   *63*

perguntas e respostas

1. Que significa "luz coagulada"?

A luz sideral, presente em toda a criação, é elemento divino que está à disposição do espírito que se propõe ao aprendizado nos planos superiores da vida, visando às criações elevadas no compêndio da ciência universal. Essa luz astral de que falamos possui peculiaridades que nos favorecem a ação e criação através da força do pensamento, para moldarmos instrumentos de trabalho, recursos medicamentosos, criações luminosas e muitas outras formas, que são estruturadas com a própria luz cósmica, no maravilhoso fenômeno de ideoplastia, a fim de servir aos elevados propósitos que nos propomos atingir.

Na Terra, temos o impedimento das pesquisas e realizações devido à precariedade de recursos comuns ao mundo terreno. Mas, no que se refere aos espíritos da esfera em que me encontro, os elementos da luz astral são trabalhados de forma a obedecer ao influxo de nosso pensamento, o que nos favorece as pesquisas e os trabalhos, pois temos, à nossa disposição, o energismo divino. Tais realizações, se vistas no mundo físico, seriam consideradas verdadeiros milagres, por escaparem ao círculo do conhecimento do plano da Terra.

2. Como se dá o aprisionamento da partícula luminosa?

Ainda fogem ao conhecimento do homem as possibilidades de que os espíritos superiores dispõem para fomentar o progresso e o auxílio a meus irmãos. Faltam elementos, no vocabulário humano, que possam traduzir nosso pensamento a respeito do assunto, e foge, igualmente, ao objetivo dessa obra trazer fórmulas científicas ou métodos de trabalho que compliquem o pensamento de meus irmãos, por não estarem, ainda, preparados para tal. Basta

estudo do psiquismo e o tratamento de suas desarmonias. Deve-se lembrar que em todas as áreas de conhecimento enfrenta-se uma fase de admissão das limitações de um determinado modelo. Isso não significa que a teoria estava "errada", mas que são necessários modelos mais abrangentes. A psicologia transpessoal foca a pessoa em todos os seus aspectos — abordagem biopsíquica e espiritual —, reconhecendo seu impulso de auto-realização e saúde.

[14] Joseph Gleber demonstra coerência quando, além de *defender* a utilização da postura holística, ele mesmo a utiliza em suas postulações. Isso ocorre também neste trecho, quando admite a legitimidade das diversas modalidades terapêuticas, convencionais e não convencionais, evitando a postura dogmática de considerar válidas apenas as que admitem a existência e a importância da dimensão espiritual. Dessa forma demonstra compreensão abrangente do que significa a visão holística, no seio da qual tudo que foi separado volta a se unir.

saberem que, para nós, os espíritos, o pensamento é base de ação que desperta forças e possibilidades consideradas impossíveis para os cientistas e sábios da Terra. Eis o que, por enquanto, podemos dizer e que vocês têm condições de compreender.

3. Qual é mais importante, no conceito do plano espiritual: a alopatia, a homeopatia, os tratamentos florais ou outra forma de terapia alternativa?

Cada espécie de tratamento traz o seu selo de validade[14] quando se trata de beneficiar o progresso humano.

A alopatia é destinada, com mais amplitude, às pessoas que requerem métodos mais imediatistas e mais tangíveis, no que concerne à ação no veículo somático, servindo, muitas vezes, de tratamento de choque para aqueles que delinquiram no passado.

A homeopatia, sendo elaborada em bases mais sutis, trabalhando com o campo energético das substâncias, atinge seu propósito em indivíduos que já trazem a disposição íntima para a atuação no campo magnético ou energético de sua constituição; é requerida uma certa predisposição para a atuação do medicamento homeopático.

Já os florais, atingindo as causas emocionais de variados distúrbios, trabalham em dimensão ligeiramente diferenciada das doses homeopáticas, intervindo, de forma mais sutil, nos padrões energéticos da criatura.

Portanto, em qualquer modalidade de tratamento, há que se considerar essa predisposição da qual falamos, para que a terapia empregada por meus irmãos desperte o efeito desejado. Não resta dúvida de que os processos que empregam a homeopatia ou os florais representam um imenso passo no campo de trabalho de meus irmãos na Terra, mas, igualmente, não se poderá ignorar o benefício que a alopatia tem realizado ao longo do tempo.

4. Como se pode entender a ação dos remédios florais[15] sobre a saúde, uma vez que, para nós, da classe médica, não está explicada satisfatoriamente essa atuação?

Para responder a meu irmão, utilizaremos do pensamento de iluminado espírito de nossa esfera, ao orientar determinado médium que o questionou a respeito, em outro país, e que reflete igualmente o conhecimento que temos do assunto.

O reino vegetal possui uma forma de energia que é a responsável pelo nascimento e crescimento dos seres desse reino. Essa energia ou força vital é absorvida de duas fontes básicas: a energia telúrica, que as raízes absorvem do magnetismo da Terra, e a energia vital, que é absorvida através das folhas e que, unida àquela, promove a evolução da vida que se manifesta na planta.

Assim como o homem possui um duplo de natureza etérica, as plantas também o possuem, e isso é de fácil observação por parte de meus irmãos, sendo esse duplo, do plano eletromagnético, a verdadeira essência do reino vegetal.

Nas plantas, as flores são a parte mais sutil e evoluída, concentrando-se nelas todo o energismo do fluido vital. É a flor o órgão de fertilidade na planta, por concentrar nela a essência sublimada de toda a energia vegetal, sendo o máximo da expressão evolutiva nesse reino da natureza.

A energia eletromagnética e o fluido vitalizante são canalizados, por processos naturais, para o delicado tecido floral: as pétalas. Quando se realiza a preparação das essências, os raios solares filtrados através das pétalas transmutam as energias etéricas das plantas e o alto padrão magnético encontrado nas flores, que já trazem seu magnetismo próprio, misturam-se às propriedades da energia solar, combinando diversas reações moleculares,

---

[15] Edward Bach (1886-1936), médico inglês, especializou-se em bacteriologia, imunologia e saúde pública. Entre 1930 e 1934 descobriu os 38 remédios florais que ganharam o seu nome, os quais são indicados para estados mentais e emocionais em desequilíbrio. O sistema concebido por Bach guarda muita semelhança com os postulados relativos à saúde desenvolvidos nesta obra por Joseph Gleber. Para iniciar-se no tema, é indicada a leitura da obra *Os remédios florais do Dr. Bach*, coletânea de textos do descobridor da terapia floral.

na constituição etérica do medicamento.

Ao serem os florais ministrados às pessoas, o quantum energético das flores promove a interação das energias do soma e do duplo etérico, passando pela corrente sangüínea e atuando, logo em seguida, nas células nervosas, produzindo uma reação em cadeia que atinge os estados emocionais por intermédio dos chacras.

Após atingir o sistema de distribuição energética entre os diversos chacras, o fluido vital atua nos meridianos, e destes é transferida a sua ação, de forma mais intensa, para as camadas mais materializadas do psicossoma ou perispírito, no fenômeno conhecido como *repercussão vibratória*. A ação do floral é totalmente magnética e etérica, e a resposta dessa atuação é o restabelecimento emocional da pessoa, o que produz efeitos mais ou menos intensos conforme a vibração *mento-emotiva* de cada um. Esse processo que descrevemos é realizado de maneira rápida, embora a dificuldade de observação por parte de meus irmãos.

Desse modo atuam os medicamentos, em bases vibracionais, elevando o padrão magnético de quem os utiliza, formando o clima emocional, energético e psicológico necessário para o restabelecimento da saúde.

5. Considerando-se o aspecto físico, onde se dá a maior atuação da força curativa do floral?

Respondendo *fisicamente* ao meu irmão, identificamos as estruturas da glândula pineal, do sistema circulatório e do sistema nervoso central como sendo as partes em que mais efeito têm os medicamentos florais. Porém, essa atuação física é o resultado das propriedades etéricas das essências das flores, que se constituem em imensos depósitos de fluido vital, captados do oceano inesgotável do fluido cósmico e magnético e processados na maravilhosa combinação realizada pelo quimismo energético da vida, que desafia as explicações *físicas* ou *científicas* daqueles que se julgam detentores da verdade.

6. A medicina, como a conhecemos, haverá de ser substituída por outra modalidade, em se tratando dos seus métodos de trabalho?

Meu irmão não soube formular a pergunta de maneira a representar o que pensou. No entanto, podemos dizer, a respeito do questionamento, que a ciência médica tem contribuído muito para amenizar os problemas enfrentados por meus irmãos de humanidade. Embora o pensamento materialista e mercantilista domine grande parte dos profissionais da área médica, é inegável o que se tem realizado em benefício da humanidade. No entanto, não podemos afirmar que a modalidade de trabalho que caracteriza a medicina no estágio em que se encontra desaparecerá, senão que ela irá espiritualizar-se à medida que conceitos mais amplos venham sendo adotados pela ciência humana, que já se aproxima, a passos largos, do conhecimento da realidade energética do ser.

Embora existam os núcleos de materialistas da área médica, já se pode observar a influência da homeopatia e de vários tratamentos alternativos,[16] que, aos poucos, vão se misturando à metodologia considerada ortodoxa. A ciência confirma o espírito e será, no futuro, a amiga inseparável das potências siderais que orientam os destinos do orbe terráqueo.

[16] Ver a nota 6 (cap. 1).

duplo etérico

Ao observarmos a constituição fisiopsicoespiritual do ser humano como a obra-prima da criação divina, síntese de todas as experiências evolutivas já realizadas no orbe terreno nos últimos milhões de séculos, poderemos vê-la como um complexo mecanismo energético, iluminada pela razão e pelo sentimento, em direção a outras formas de expressão da consciência, em sua marcha ascendente rumo às regiões luminosas das moradas angélicas, para onde demanda nossa caminhada.

Desde as primeiras manifestações do princípio inteligente[17] na matéria, passando pelos diversos reinos que a natureza prodigalizou sob a orientação amorosa de Jesus, vê-se a mônada divina aperfeiçoando-se, materializando-se e desmaterializando-se nos campos experimentais do mundo das formas, adquirindo predicados que a enriquecem cada

[17] A doutrina espírita explica que o universo é constituído por dois elementos básicos: espírito (princípio inteligente) e matéria (princípio material).

Na questão 79 de *O livro dos espíritos*, Kardec pergunta se os espíritos — isto é, as individualidades extracorpóreas — são formados do princípio inteligente; os espíritos codificadores confirmam e complementam: *Os espíritos são a individualização do princípio inteligente, como os corpos são a individualização do princípio material*. Atente-se para o fato de que Kardec utiliza o termo "espírito" tanto para designar o elemento inteligente quanto para se referir às individualidades. Ele explica em *A gênese*: "O elemento espiritual individualizado constitui os seres chamados Espíritos, assim como o elemento material individualizado constitui os diferentes corpos da Natureza, orgânicos e inorgânicos".

Assim, pode-se entender que o espírito separado de sua vestimenta semimaterial (os corpos energéticos) constitui o elemento espiritual ou princípio inteligente. Para ficar mais claro, observe-se o que explica Kardec na *Revista espírita* de março de 1866: "A natureza íntima da alma, que dizer, do princípio inteligente, fonte do pensamento, escapa completamente às nossas investigações; mas sabe-se agora que a alma está revestida de um envoltório, ou corpo fluídico, que dela faz, depois

---

vez mais em sua marcha ininterrupta para as formas mais primorosas de expressão de sua intimidade divina.

No vai-e-vem das experiências vivenciadas e divinamente direcionadas, nota-se a presença de um modelo diretor,[18] organizador de suas manifestações em qualquer forma que se expresse, seja no plano denso da matéria ou no ambiente astralino no qual estagia o psiquismo em formação.

É no ambiente dos reinos inferiores que a mônada, ou o psiquismo adormecido do futuro arcanjo, começa a sensibilizar-se de forma intensa, ao mesmo tempo em que, já no reino vegetal, começa a desenvolver as manifestações mais complexas de um duplo, composto das energias bioplasmáticas de que são constituídos os diversos seres integrantes desse prodigioso reino da natureza.

As análises realizadas pelos nossos irmãos encarnados no campo precioso do magnetismo comprovaram aos céticos de todas as procedências, há muitos anos, a existência do perispírito e do duplo etérico nas experimentações de exteriorização dos recursos anímicos.

O duplo etérico desdobrado ou dissociado do corpo físico, seja espontaneamente ou sob ação magnética exterior, foi amplamente provado pelos estudiosos das ciências psíquicas, servindo para comprovar a existência e sobrevivência do espírito, sua atuação e independência na vida. Foi investigada e constatada a realidade do corpo etérico através de processos científicos desenvolvidos pelos companheiros encarnados, como fotografias, materializações e muitas impressões físicas observadas e sobejamente atestadas por pesquisadores e médiuns que se dedicaram ao estudo da ciência psíquica.

No ser humano, o duplo constitui a camada mais eterizada, ou menos grosseira, do corpo físico. Em sua constituição íntima encontra-se, além das substâncias físicas comuns, em vibração ligeiramente diferente, grande quantidade de ectoplasma, a essência básica dessa contraparte etérica do corpo humano, cuja razão de ser está na distribuição equilibrada das energias provenientes do grande reservatório cósmico universal e sua transformação em fluido vital, encarregando-se de irrigar toda a comunidade orgânica do aparato fisiológico humano.

O duplo etérico, também chamado corpo vital, é, assim como os outros corpos de manifestação da entidade pensante, uma conquista do ser em sua longa caminhada de evolução anímica, constituindo-se em elemento preciosíssimo na economia orgânica e na manutenção da saúde do ser humano. Elemento de constituição delicada, de natureza material mais sutil, ectoplásmica e de alta sensibilidade, o duplo etérico é altamente influenciável e se ressente, em sua estrutura íntima, do comportamento humano equilibrado ou não, no que tange às virtudes ou viciações.

Além do seu potencial de centro distribuidor do fluido vital, o duplo reveste-se de importância maior ao servir de

---

da morte do corpo material, como antes, um ser distinto, circunscrito e individual. A alma é o princípio inteligente considerado isoladamente; é a força atuante e pensante, que não podemos conceber isolada da matéria senão como uma abstração. Revestida de seu envoltório fluídico, ou perispírito, a alma constitui o ser chamado *Espírito*, como, quando ela está revestida do envoltório corpóreo, constitui o homem".

Deus cria os espíritos "simples e ignorantes", ou seja, como mônadas (unidades que não podem ser decompostas), que se vinculam à matéria a fim de iniciar seu processo evolutivo, rumo à razão. O princípio inteligente passará pelos reinos mineral, vegetal e animal, até o reino hominal.

Segundo o espírito André Luiz, no livro *Evolução em dois mundos*, p. 33, mônada é a célula espiritual, "o princípio inteligente, em suas primeiras manifestações...", isto é, na primeira fase de evolução do ser. Veja mais em *Gestação da Terra* (Robson Pinheiro pelo espírito Alex Zarthú), cap. 3: *Evolução do princípio espiritual.*

base, quando exteriorizado, para a materialização de entidades espirituais, que, manifestando-se para meus irmãos da Terra, demonstram que continuam vivas, com todas as suas faculdades anímicas que provam a não-existência da morte e a continuidade da vida em outros campos vibratórios, em outras dimensões do universo.

Enquanto o corpo físico, de natureza carnal e orgânica, manifesta-se num complexo polizóico celular, distribuído em órgãos, sistemas e aparelhos, objetos de estudo das ciências oficiais, o duplo é formado de substâncias eterizadas do mundo terreno. Os fluidos constitutivos do duplo etérico são muito mais grosseiros ou materializados do que o fluido cósmico, sendo perceptíveis aos clarividentes na formação da chamada aura, que reflete a saúde do ser humano.

A utilização de matérias tóxicas, como o fumo, o álcool ou mesmo substâncias consideradas medicamentosas, com teor tóxico inegável, afeta a estrutura íntima do duplo, desregularizando-lhe os centros de força e, por conseqüência, a rede de distribuição das energias vitais que irrigam as células do corpo físico. O tabaco, o álcool e as drogas mais utilizadas pelo homem envenenam-lhe as reservas vitais, obstruindo os centros de força que as distribuem. A nicotina e o alcatrão, de forma mais atuante, corroem a própria matéria etérica de que é constituído o duplo, formando "buracos" semelhantes às bordas queimadas de um papel, facilitando assim a eclosão dos diversos distúrbios que

---

[18] A palavra *perispírito* foi criada por Allan Kardec para designar o corpo que envolve o organismo material. O engenheiro e pesquisador espírita Hernani Guimarães Andrade propôs o termo *modelo organizador biológico* (MOB) para designar esse corpo energético, que estrutura as células e os órgãos do organismo em desenvolvimento. Joseph Gleber voltará a tratar do tema no cap. 6 desta obra.

comprometem o equilíbrio psicofísico do ser humano.

Funciona o duplo etérico para o ser encarnado como um manto protetor ou uma tela eterizada, que impede o contato constante e sem barreiras com o mundo astral, atuando também como proteção natural contra investidas mais intensas dos habitantes menos esclarecidos daquele plano e, ainda, protegendo o homem contra o ataque e a multiplicação de bactérias e larvas astralinas, que, sem a proteção da tela etérica, invadiriam a organização não somente do corpo físico, durante a encarnação, como a própria constituição perispiritual.

Quando, por meio de seus desregramentos e vícios, passa a consumir substâncias corrosivas, como o álcool, o fumo, a maconha e outras drogas, ou quando, no seu comportamento abusivo na esfera da moralidade, bombardeia a sensível tessitura do duplo, queimando-lhe e envenenando-lhe as células etéricas, o ser humano nele cria verdadeiras brechas, que ocasionam conseqüências nefastas. Através delas, penetram as comunidades de larvas e vírus do subplano astral, comumente utilizadas por inteligências sombrias para facilitar-lhes o domínio sobre o homem; além disso, favorecem o assédio mais intenso das consciências vulgares, que usam o ser encarnado para saciar sua fome e sede de elementos materiais, quando não, para acirrarem ainda mais a perseguição contumaz e infeliz sobre a pobre vítima de seus desequilíbrios.

A ingestão de drogas mais fortes, como a maconha, o LSD, a cocaína e seus derivados, bem como de medicamentos específicos, cujos componentes químicos sejam inegavelmente tóxicos, violenta a tela etérica, provocando sua ruptura. Sabemos que a lesão do duplo dificilmente se recompõe, donde vem a facilidade de as pessoas que fazem uso de tais tóxicos verem verdadeiras monstruosidades e aberrações quando estão sob o seu efeito devastador. Acontece que, sem a proteção dessa tela, que os manteria naturalmente protegidos dos habitantes dos subplanos astrais, começam a perceber as formas horripilantes, criadas e mantidas pelos seres infelizes que estagiam nas regiões mais densas do plano astralino. Falta-lhes a proteção etérica, que violentaram pelo consumo de drogas, estimulantes ou excitantes que lhes destruíram parte da proteção de que a natureza os dotou, para sua própria segurança na marcha evolutiva. Embora essa destruição não seja completa, criando apenas *rasgos* ou *brechas*, utilizando-nos do vocabulário de meus irmãos, é verdadeiramente nociva a sua falta, pois o duplo é de essencial importância para o equilíbrio do ser humano. Quando isso ocorre, além dos recursos terapêuticos comumente empregados nas casas espíritas para tais casos, deve-se promover a doação e a transfusão de fluido vital, ectoplásmico, para suprir a falta ou para revitalizar a parte afetada do duplo etérico.

É o duplo etérico o responsável pela metabolização das energias advindas dos chamados planos material e astral.

Todo ser vivo, por meio de seu duplo etérico, mantém-se em relação direta com os outros elementos da grande família universal, através dos campos de energia que se interligam em toda a natureza. Vindas de várias dimensões do universo, as energias do plano etérico da criação participam da formação e do equilíbrio do homem, ligando-o etericamente com os animais, vegetais e minerais, na troca incessante de recursos presentes na criação. Todos esses planos, se assim podemos denominá-los, estão envoltos em uma rede de energia etérica que nutre e revigora os corpos de manifestações mais densas do ser humano; por isso, as transferências de energias etéricas se realizam em todos os reinos da natureza, contribuindo tudo para o equilíbrio integral do ser humano. Daí a necessidade de o homem viver em harmonia com a natureza que o envolve e onde evolui. Assim, as questões relativas à ecologia deixam de representar apenas fatores de preservação externa para assumirem um papel de equilíbrio energético em que o homem é o maior beneficiado.

É necessário esclarecer aos meus irmãos que, além das energias comuns nos reinos naturais que os antecedem na escala evolutiva, outras, de natureza eletromagnética, atuam para o equilíbrio da vida humana, como de todo o planeta em que vivem. São as energias astrais ou cósmicas, que vêm do espaço, de estrelas e planetas, que emitem suas radiações entre si, e, no caso presente a que aludimos, a Terra sofre a sua influência, como também lhes envia a sua própria, em direção ao espaço intermúndio. Essas radiações afetam todo o contexto da vida terrena, sendo que, no homem encarnado, é o duplo etérico o responsável pela metabolização e sutilização dessas energias, de forma automática, através dos vórtices ou chacras, conforme as circunstâncias vividas por ele.

Dessa maneira, observamos que os estados realmente saudáveis encontrados no ser são o resultado de uma vivência harmoniosa com a atmosfera psíquica e moral, que contribui para o seu equilíbrio integral.

Tendo em vista que o espírito está em via de progresso e que a grande maioria ainda progride mais por força da lei cósmica, de forma semiconsciente, com uma existência anômala e inadequada, fica difícil alcançar esse estado de saúde integral por seus próprios esforços volitivos, uma vez que sua vontade se encontra por vezes indisciplinada, em meio às sinuosidades da jornada que percorre.

À medida que o indivíduo adquire maior experiência, entendimento e moralidade, conforme os princípios cósmicos que o Evangelho preceitua, posiciona-se cada vez mais acertadamente ante as energias que interagem em seu psiquismo e no fisiologismo de sua existência no plano das formas.

Vemos em Jesus um modelo a ser seguido pelos espíritos da Terra, fato este que é corroborado pela sua alta estirpe espiritual e pelos exemplos de convivência com os diversos reinos no grande ecossistema universal. Notamos, na vida de Jesus, a integração com os animais, vegetais e minerais, num processo de transmutação e canalização de energias com vistas à elevação geral do ser humano.

Examinemos mais detalhadamente as lições evangélicas sob essa perspectiva e com certeza encontraremos farto material, que, longe de se constituir em fator místico, nos indicará um método de vida que promove maior integração com a vida universal.

Por isso, não nos cansamos de falar, ao longo destas páginas, que o Evangelho do Cristo, com todo o seu alcance para a vida do homem, é ainda o único tratamento conhecido de eficácia comprovada para debelar o sofrimento do ser humano, para solucionar seus problemas morais, que provocam as disfunções orgânicas ou fisiológicas, por impositivo das leis cósmicas, conduzindo-nos a estágios cada vez mais avançados de evolução anímica e, por conseguinte, a alcançar uma saúde mais perfeita, uma atitude mais equilibrada ante nós mesmos e perante a vida.

Retornando à análise do duplo etérico, vemos, em sua estrutura, a existência de uma delicada rede de filamentos energéticos, responsáveis pela interação entre os diversos chacras ou vórtices energéticos, que propiciam a estes a realização de suas funções de aferência ou eferência, nem sempre absolutas, mas variantes. Tais canais ou filamentos há muito foram identificados pelos nossos irmãos encar-

Ilustração representativa do duplo etérico: corpo vital, vaporoso e de constituição ectoplásmica. A imagem mostra as duas energias que são os constituintes básicos do duplo etérico: energia yin — de polaridade negativa e cor azul — e energia yang — de polaridade positiva e cor vermelha.

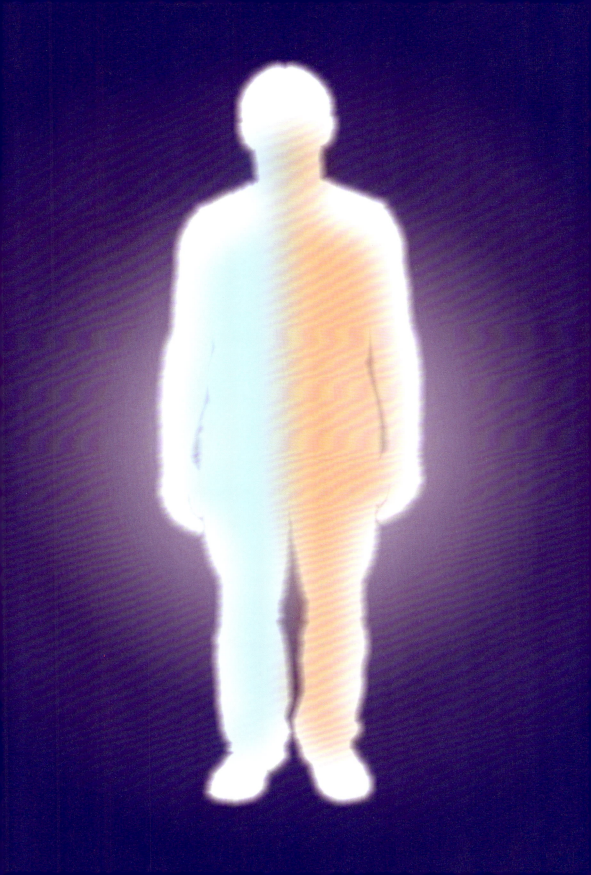

[19] *Nadi* é uma palavra sânscrita, de gênero feminino, cuja pronúncia é *nádí* (ambas as sílabas são "fortes"). As *nadis* são canais por onde fluem a força vital e o prana. Elas conectam os chacras, permitindo que a energia flua através deles.

nados na Índia e nas demais regiões do Oriente, sendo denominados por eles como *nadis*,[19] por onde circulam as energias etéricas e o fluido vitalizante, que irrigam os órgãos do corpo físico, funcionando, para essas energias mais sutilizadas, exatamente como as artérias, para o sangue.

Esses canais, por onde circulam as diversas modalidades de energia processadas pelo corpo etérico, são de natureza hipersensível, sendo por isso diretamente afetados pelo comportamento humano, mais ou menos como as células nervosas, que lhe são uma continuação, ou materialização. Esse assunto é pouco pesquisado por meus irmãos espíritas e, por isso mesmo, pode causar certas reservas quanto ao que falamos, por escapar ao círculo do conhecimento ortodoxo, mas que não podemos ignorar, por constituir uma realidade a sua existência. Tais filamentos existentes na constituição etérica humana são muitas vezes obstruídos ou destruídos, devido ao uso, por parte do homem, de elementos tóxicos e venenosos, que, como já dissemos, afetam diretamente esse corpo de natureza menos densa, o duplo etérico. São as bebidas alcoólicas de natureza variada e o tabaco os responsáveis mais comuns por tais obstruções energéticas, as quais provocam inúmeros distúrbios na circulação sangüínea e no sistema nervoso, além de disfunções nos chacras. Muitos abusos na área alimentar também provocam a obstrução desses canais ou filamentos, notadamente na área de atuação do baço e do pâncreas, e promovem, juntamente com diversos fatores emocionais, o desequilíbrio nesses órgãos, que passam a ter funcionamento irregular, causando assim enfermidades que, apesar de catalogadas pela medicina da Terra, são de difícil tratamento.

O duplo etérico assemelha-se à camada de ozônio que reveste o orbe terráqueo, pois, na verdade, essa camada protetora da Terra tem, por analogia, a mesma função do duplo etérico no ser humano. Quando é destruída a camada de ozônio do planeta, formam-se "buracos" em locais onde deveria haver a proteção natural, e, assim, certos raios solares penetram pelas falhas e produzem diversos males nos habitantes imprevidentes do mundo.

Note-se como se assemelham os casos a que nos referimos, pois, assim como o homem destrói sua tela etérica pelo consumo de material tóxico e corrosivo, o faz igualmente com a camada etérica planetária, com o uso, em maior escala, dessas mesmas substâncias.

Há que se proceder a uma reeducação dos padrões humanos para se entender o sentido universalista da ciência espírita, a fim de que o homem compreenda a grandeza em que se fundamentam os ensinos de tão grande doutrina.

Observamos multidões procurando o serviço de médicos especializados ou de médiuns receitistas a fim de resolverem muitos de seus problemas de saúde, como se a medicina terrena ou a espiritual possuíssem fórmulas de eficácia instantânea para a resolução de suas dificuldades, quando estas residem basicamente em sua própria postura de vida e diante da vida. Esquecem-se de que o homem não é apenas um agregado de matéria, mas um complexo de energias, um ser moral, uma individualidade eterna, de natureza sideral, e de que da sua postura íntima dependem seus estados enfermiços ou saudáveis, assim como sua felicidade ou infelicidade. O equilíbrio em todos os sentidos, no falar, no agir ou no pensar, é a fórmula única de manter a harmonia interativa do espírito imortal e dos seus corpos de manifestação no universo.

Igualmente, podemos afirmar que as questões relativas à ecologia, defendida por muitos na atualidade, não se resolvem apenas com decretos governamentais ou intervenções políticas; é notório que os problemas enfrentados nas coletividades humanas são o reflexo dos problemas íntimos, e a solução para qualquer deles é uma questão de reeducação e postura interior perante a própria vida.

outros aspectos do duplo etérico

Nos processos de desencarnação, observa-se que é vedada a existência do duplo etérico no plano espiritual, devido à sua densidade; pertence, em sua origem, ao plano físico. É de capital importância estudá-lo a fundo, principalmente para se compreender o efeito e a função desse corpo nos casos de desencarne através do suicídio ou por parte daqueles que se mantêm apegados aos instintos inferiores da carne, pois desempenha, nesses casos, importante papel. O duplo mantém tais espíritos prisioneiros das sensações carnais, enquanto não esgotarem as reservas de fluidos, próprios de sua estrutura etérica, libertando finalmente o espírito para ingressar numa forma de vida menos apegada aos fluidos terrestres.

Em circunstâncias normais, com a dissolução das células físicas através do desencarne, o duplo dissocia-se igualmente após pouco tempo, voltando os seus fluidos a integrar-se na atmosfera do planeta.

Esse corpo, também denominado corpo vital, apresenta-se à visão do médium clarividente com a aparência de dois pólos energéticos, o negativo e o positivo, o *yin* e o *yang*[20] da ciência oriental, sendo sua constituição de natureza radioativa, responsável pelo efeito eletromagnético observado nas fotografias kirlian,[21] ou eletrofotografias, desenvolvidas pelos nossos irmãos encarnados. Sua aparência é fosforescente, emitindo uma luminosidade que varia entre as cores azul e vermelha, ou cinza cintilante, quando associadas, apresentando-se com clarões de radiações ectoplásmicas.

É extremamente sensível a agentes fisioquimicomagnéticos, vindo daí o grau de destruição de certos agentes tóxicos que afetam profundamente a estrutura íntima do duplo, causando lesões difíceis de reparar. Por isso, a insistência dos mentores espirituais para que os médiuns, evocadores e experimentadores se abstenham do uso do fumo e do

[20] Sobre a polaridade *yin* e *yang*, consultar o capítulo 4 do livro *Além da matéria*, também de Joseph Gleber pela psicografia de Robson Pinheiro.

[21] A foto kirlian, denominada bioeletrografia desde dezembro de 2000, não é a foto da aura que o vidente vê, como muitos acreditam, mas a captação em filme fotográfico da radiação do duplo etérico. Acreditava-se que a máquina que fotografa tais emanações havia sido inventada por Davidovitch Kirlian, em 1939, na ex-URSS. Recentemente, descobriu-se que o real inventor foi o padre brasileiro Roberto Landell de Moura, em 1904.

álcool, que atuam como dissolventes da essência fluídica e etérica do corpo vital. Aqueles que se sujeitam ao uso desses produtos são considerados, pelas leis siderais, como suicidas, pois atentam diretamente contra a sua vida e a constituição vital de seu organismo, envenenando as sagradas energias que mantêm o equilíbrio orgânico.

Devido a sua natureza magnética e a sua luminosidade radioativa é que o duplo pode ser fotografado pelos vários métodos desenvolvidos pelos meus irmãos encarnados, servindo de base para a crescente espiritualização da medicina terrena.

Estados depressivos, traumas, fobias, inflamações, infecções, conflitos emocionais e desvios morais são facilmente perceptíveis através da observação do duplo etérico, podendo este, no futuro, servir de base para o tratamento médico, quando os meus irmãos unirem o progresso científico à realidade energética do ser.

O estudo do duplo etérico por parte de meus irmãos deveria ocupar um pouco mais de sua atenção, pois, sendo a sua existência uma necessidade para a manutenção do organismo fisiológico, da saúde ou do equilíbrio energético, vasto material teriam meus irmãos para pesquisar e aprender. Não nos cabe aqui, neste trabalho, esgotar o assunto, uma vez que nos propomos apenas mostrar a relação da vida moral com os aspectos energéticos da vida no mundo em que vivemos, conscientizando-os, através dos postula-

---

Existem diversos padrões para diagnóstico utilizando-se a eletrofotografia. Como exemplos, podemos citar o padrão Newton Milhomens (Brasil), o padrão Peter Mandel (Alemanha) e o padrão Konstantin Korotkov (Rússia), entre outros. Para cada um há uma máquina especialmente desenvolvida.

dos evangélicos, para o engrandecimento íntimo daqueles que se encontram em marcha para a grande síntese e o equacionamento de todos os seus anseios de realização no campo infinito da vida universal.

O duplo etérico, com suas energias e fluidos, mais ou menos eterizados conforme o indivíduo, influi também, e de forma mais direta, nos fatores mediúnicos, principalmente naqueles em que se emprega ectoplasma mais diretamente, como na preparação de medicamentos, em reuniões especializadas.

Mais uma vez gostaríamos de chamar a atenção dos meus irmãos para o equilíbrio íntimo, a fim de purificar os fluidos de que são constituídos os corpos de manifestação, como o corpo físico, o duplo etérico e o perispírito, elevando-lhes o padrão vibratório pelo refinamento moral e espiritual, tornando seus elementos utilizáveis, úteis para as tarefas em que o Alto aguarda-nos o concurso valioso. No entanto, não nos basta o simples conhecimento teórico de tal realidade se não transmutarmos o nosso ser, através da experiência alquímica da renovação moral. Em vão buscaremos os compêndios da ciência ou as doutrinas espiritualistas, onde encontraremos farto material a pesquisar, tão mais do que nos proporciona a exigüidade do tempo e a escassez do espaço nesta obra, se não nos infundirmos desses conhecimentos, respirando-os através de cada célula, de cada átomo, e se não nos transformarmos em cartas vivas da realidade espiritual, cuja maior certeza que podemos ter é a nossa própria existência.

Mergulhados no oceano infinito das energias divinas, respirando o próprio fôlego do Todo-Poderoso, somos seres que, a caminho de formas mais amplas para expressar a nossa imortalidade, trabalhamos transmutando energias, forças e experiências, a fim de obtermos o equilíbrio em todas as suas expressões e modalidades, até que, de posse de tal harmonia íntima, subjetiva e permanente, alcancemos a consciência de que somos focos divinos, potências siderais, partícipes da estrutura funcional do universo.

A nossa realidade sideral é patente pela nossa própria existência moral e objetiva, e o equilíbrio interior, a que chamamos de estado saudável de existir, depende, única e exclusivamente, de nós próprios, demandando, a partir de cada um, vontade e esforço para atingir tal condição. Eis a beleza, a grandeza e a imensidade da experiência universal a que chamamos *vida*.

perguntas e respostas

1. Gostaríamos de saber por que certos espíritos continuam empregando termos como "arcanjos" e "anjos" ao se reportarem aos espíritos superiores, quando esses termos são próprios da doutrina católica.

DUPLO ETÉRICO   *87*

Refere-se o companheiro ao fato de que nós empregamos esses termos no presente livro. Para nós, pouco importa se algumas palavras sejam empregadas nesse ou naquele culto religioso. Os espíritos da esfera em que nos encontramos, já estamos além dessas manifestações de sectarismo religioso. O que importa é que o nosso pensamento seja entendido por vocês. Fica com vocês a briga pelos termos católicos, espíritas ou protestantes. Enquanto ficam preocupados com pequenas coisas sem importância, prosseguimos no estudo de questões mais relevantes.[22]

2. A propósito do estudo do duplo etérico, gostaríamos de saber se existe alguma forma, de que possamos nos utilizar, para dissociar o duplo do corpo físico, para efeito de estudos e observações.

Quando existe realmente o desejo de realizar pesquisas sérias e estudos mais aprofundados, e não apenas a curiosidade destituída de objetivos reais, o passe magnético, primeiramente na região do córtex cerebral e depois ao longo do sistema nervoso central, poderá, se aplicado com certa intensidade e com alguma constância, provocar o afastamento do duplo etérico, o que deverá ser feito por pessoa realmente conhecedora e pesquisadora dos efeitos do magnetismo e das questões do espírito. O que acontece é que muitos aprendem algumas técnicas realmente eficazes, mas não sabem educar a sua vontade para direcionar o potencial magnético que pretendem empregar e, nesse caso, desistem do tentame, por falharem os resultados. Em qualquer situação que se empregue a energia magnética, é necessário que se eduque a vontade em exercícios de ideoplastia, a fim de se obterem os resultados desejados.

3. De que maneira o fluido cósmico penetra em nós e como veicula o pensamento humano?

---

[22] Há que se acrescentar, no entanto, que o próprio Allan Kardec utilizou termos como *anjo guardião* ou *anjo de guarda*, por exemplo (*O livro dos espíritos*, itens 495, 584, conclusão vi, etc.). Além disso, refere-se aos espíritos da Codificação como *São* Luís, *Santo* Agostinho ou *São* Vicente de Paulo, bem como emprega *São* Lucas ou *São* Paulo para citar os autores do Novo Testamento. Os críticos lhe apontaram esse fato, que sem dúvida se pode atribuir à cultura religiosa francesa ser predominantemente católica — afinal, o homem Kardec também era produto de seu tempo, de sua

No processo de absorção do fluido — ou éter, na filosofia hindu — o chacra coronário é detentor de imensas possibilidades, de que a divina sabedoria o dotou, para que pudesse abastecer a alma com o energismo que garante o funcionamento dos vários departamentos do corpo somático, proporcionada pela vitalidade que o mantém.

Esse fluido divino, ao ser absorvido pelo coronário, é distribuído pelos outros fulcros energéticos, que polarizam essa energia, modificando-a conforme o órgão a que se destina na economia orgânica. O metabolismo do corpo somático igualmente o transforma em fluido nervoso, elétrico, magnético ou vital, conforme seja distribuído e canalizado sob o comando da mente.

Após passar pelo comando do espírito imortal, que o transforma por via do chacra coronário, flui então como matéria mental, energizando o córtex cerebral e sendo canalizado pelo sistema nervoso — que se encarrega de transmitir as ordens-pensamentos ou formas mentais para todo o corpo físico — e, ao mesmo tempo, percorrendo os outros corpos energéticos da criatura humana. Esse fluido, agora transformado em fluido mental, é o responsável pela manutenção do divino magnetismo dos corpos superiores de manifestação da individualidade eterna.

4. Como se dá a atuação do prana ou energia cósmica, transformada em fluidos vitais, nos chacras e nos órgãos do corpo físico?

Após ser absorvido pelo centro coronário, o fluido cósmico, ou prana, passa pela elaboração dos outros chacras, como o frontal e o cardíaco, sendo depois transmitido a outros departamentos da vida biológica através dos canais que interligam os diversos fulcros energéticos. Nesse processo de transmissão do fluido primordial, cria-se uma irradiação eletromagnética em torno do sistema nervoso. Na região cerebral, a ação do prana é diretamente

---

cultura; por que não? Contudo, é possível especular que ele tenha optado pela denominação mais usual e consagrada apenas para facilitar a comunicação com o leitor, sem dar maior importância a questões como essa, conforme faz Joseph Gleber.

comandada pela glândula pineal, que, após a sua elaboração, influi diretamente na delicada estrutura dos neurônios. A produção de endorfinas e peptídeos em geral é, a partir daí, ativada pelo influxo do energismo do fluido cósmico, transmutado agora em força vital, produzindo alterações bioelétricas e neuroquímicas nas células do sistema nervoso e dos diversos sistemas do corpo somático.

A circulação dessa energia ou fluido nos corpos perispiritual e etérico promove e mantém a coesão e o equilíbrio físico-celular através da formação de um campo eletromagnético, que afeta intimamente os processos bioeletrônicos das células físicas. O estudo e a compreensão dessa ação do fluido cósmico e a sua transformação em fluido vital, com a conseqüente distribuição pelos vários sistemas e órgãos do corpo físico e dos seus moldes mais sutis, permitirão no futuro que a ciência, mais espiritualizada, possa detectar a ocorrência de patogenias e prever o desgaste orgânico ou celular, contribuindo para o diagnóstico e a cura de muitas enfermidades ou desequilíbrios que guardam sua causa nos mecanismos de atuação dos fluidos vitais.

5. Como entender o conceito dos meridianos, tão falados pela medicina chinesa?

O sistema de meridianos representa o molde original da ramificação das células nervosas, em sua parte etérica, como uma delicada rede de filamentos, que se encontram estruturados no duplo, representando, esses meridianos, um sistema de abastecimento vital para o corpo físico, achando-se intimamente relacionados com os chacras e o próprio sistema circulatório, sendo sua importância bem maior do que meus irmãos imaginam presentemente.

os chacras

Os vórtices de energia ou *chacras*, segundo a filosofia oriental, são órgãos de importância transcendental para o equilíbrio energético do ser humano, para a manutenção da saúde e da harmonia biológica, psicológica e espiritual. Esses órgãos de percepção e transmutação de energias extrafísicas são de vital importância para todo aquele que se propõe atingir estados superiores de consciência ou sua evolução anímica.

Desde as eras remotas, quando o princípio espiritual estagiava nos reinos elementares da natureza, elaboraram-se os vórtices energéticos, com vistas ao aprimoramento, que se encontra em processo no presente estágio evolutivo do ser e que demanda formas mais expressivas na eterna ascensão espiritual, quando o espírito revestir a forma angélica e transformar esses centros irradiantes em focos de luz imortal.

23 Ver, em *O livro dos espíritos*, de Allan Kardec, a resposta à questão 27. Há uma tendência popular a se pronunciar a palavra *fluido* com hiato (*fluído*). O correto é a pronúncia com o ditongo *ui*: *flúido*.

Podemos visualizar o sistema nervoso, no ser humano, como um complexo sistema onde se efetua a comunicação do espírito com a parte mais densa de seu envoltório, o corpo físico, e com o mundo exterior, através de impulsos, vibrações e diversas formas de comunicação, que podemos chamar de vozes inarticuladas: as energias. O meio de manifestação dessas forças, energias e impulsos é o próprio fluido, do qual está impregnada toda a atmosfera, classificado pelas diversas escolas filosóficas como sendo o éter, o fluido cósmico,[23] entre outras denominações. O certo é que esses impulsos ou informações externas, e aquelas advindas da intimidade do espírito, passam pela rede nervosa do homem, que pode ser compreendida como a parte mais densa ou materializada do próprio organismo perispiritual.

Podemos classificar, no ser encarnado, três organizações, por assim dizer, cerebrais, ainda conforme algumas escolas o admitem, e aqui utilizamos tais termos para facilitar o entendimento dos meus irmãos. São elas: o encéfalo, os plexos e a coluna vertebral, muito embora constituam um único sistema nervoso.

Dessas três divisões, os plexos constituem um sistema singular, por estarem dispersos em várias ramificações, por onde circulam os fluidos eletromagnéticos vindos do corpo espiritual e do próprio duplo etérico. Assim, torna-se fácil visualizar o sistema de chacras localizado nos pontos onde se concentra maior número de nervos, ou tecido nervoso, embora estes últimos se encontrem no corpo físico, e os chacras, na contraparte etérica do ser humano. Essa coincidência entre a localização dos chacras no corpo etérico e os plexos nervosos no corpo físico é que facilita a transformação das energias que circulam por esses sistemas e que contribuem para o equilíbrio psicofisiológico do ser. Funcionam, portanto, os chacras e plexos como transdutores de energias, sejam de natureza cósmica, telúrica ou qualquer forma como as energias do universo se manifestem.

Na natureza, de forma geral, onde se observa o acúmulo de energias ou forças nota-se a formação de turbilhões ou motos vorticosos.[24] Assim, também, no que tange ao duplo etérico, em seus pontos de energia. Tais chacras assemelham-se a cúmulos energéticos, com velocidade e cor apropriadas a cada um, de acordo com a vibração que manifestem.

[24] *Motos vorticosos*: movimentos em forma de vórtice, espiral ou redemoinho.

A função dos chacras é a de realizar e manter as transferências das energias advindas dos diversos reinos da natureza, desde as energias cósmicas até as ambientais, contribuindo para a integração do espírito com os seus veículos de manifestação: o perispírito e corpo físico.

Embora a quantidade de chacras seja muito grande, quando se trata deles nos diversos tratados espiritualistas, geralmente, fala-se apenas em sete, que são considerados os mais importantes na estrutura astralina.

Os grandes chacras estão vinculados a importantes zonas ou órgãos do corpo físico. Dessa forma, podemos perceber que a energia projetada ou absorvida pelos chacras está em direta relação com a atividade das glândulas ou do sistema com que estabelece ligação.

Todos os chacras irradiam, basicamente, três cores, refletindo energias eletromagnéticas ou do plano astral, constituindo essas cores o vermelho, o amarelo e o azul. A combinação delas é responsável pela variação de matizes e tons secundários que se pode verificar. Assim é que não existem dois chacras absolutamente iguais, pois que a sua estrutura e coloração resultam do próprio equilíbrio comportamental do indivíduo. As colorações observadas nos chacras, através da vidência, não são as mesmas realizadas pelo emprego da cor na cromoterapia, embora o tratamento cromoterápico possa influir beneficamente sobre os vórtices, desde que ministrado com conhecimento de causa, sem misticismo e após comprovação científica do método escolhido.

A partir das variações cromáticas, peculiares a cada chacra, conforme a atividade ou o desenvolvimento espiritual do espírito determinam-se as mudanças de tons e a luminosidade, que variam ao infinito. No caso do espírito encarnado, podem ocorrer muitas mudanças numa única encarnação, dependendo do seu estado de saúde íntima, modificando, assim, a coloração dos vórtices de energia.

Dessa forma, para os espíritos já esclarecidos, torna-se fácil distinguir no homem o seu estado íntimo, saudável ou enfermiço, de acordo com as irradiações observadas em seus chacras, sendo impossível a alguém que mantenha uma conduta menos digna enganar ou fazer-se passar por santo, uma vez que apenas na aparência poderá, com alguma habilidade, lograr tal coisa. No entanto, torna-se patente, ante nossa visão espiritual, o teor energético irradiado de cada um de nossos irmãos.

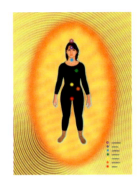

Os tons e matizes que se observam em cada chacra estão sujeitos a modificações ou alterações quanto ao aspecto dos vórtices de energia, sendo que, para tal, influem poderosamente os pensamentos e as emoções, que podem ser conscientes ou inconscientes. Verifica-se, desse modo, o cuidado que se deve ter com as próprias criações mentais e estados emocionais, pois que, quando um chacra não vibra de forma harmoniosa, o órgão ou a glândula a ele ligada sofre interferência de forma direta, causando uma disfunção.

Quando existe um esforço de reformulação íntima, aumentando o padrão vibratório, nota-se uma acentuada luminescência dos chacras, exteriorizando singulares tonalidades de intensa beleza, causando, por conseguinte, benéfica influência nos órgãos a que estão associados.

Ainda, cabe aqui a constante advertência de iluminados companheiros espirituais quanto ao imperativo de

[25] Esta declaração de Joseph Gleber é particularmente útil no meio espírita, onde pessoas com estudo e observação insuficientes fazem análises precipitadas com relação ao estado de saúde de seus semelhantes, julgando suas doenças conseqüência de comportamentos inconvenientes de outras encarnações. Conforme a observação do autor deste livro, essa relação não é verdadeira na totalidade dos casos, o que nos alerta para o fato de que generalizações são arriscadas.

uma reforma dos padrões de conduta, tendo em vista a íntima relação[25] existente entre a vida moral e o equilíbrio do espírito. O que se observa é que nem sempre o corpo aparentemente sadio é habitação de um espírito são. Que, ainda como se vê pela experiência, muitos espíritos que alcançaram um grau mais amplo de equilíbrio íntimo escolhem um corpo de resistência deficiente para as provas pelas quais tem de passar. No entanto, quando falamos de saúde, queremos demonstrar as ligações do espírito com o seu passado e as influências de seus atos morais sobre si mesmo, no corpo físico ou fora dele, esclarecendo aos meus irmãos as responsabilidades inadiáveis de reestruturação de suas vidas, de acordo com um padrão moral elevado, segundo o que nos apresenta o inolvidável Rabi Galileu em suas palavras sempre atuais.

Mas é com a chegada do espiritismo, como o Paráclito[26] prometido por Jesus; pelo conhecimento das leis que devassa perante o espírito — a fisiologia espiritual e as relações de desencarnados e encarnados, conforme explicam e enriquecem os estudos espiritistas —, que as questões aqui estudadas se ampliaram, aumentando os horizontes de pesquisas voltadas para aspectos tão relevantes. Principalmente após as revelações do nosso irmão André Luiz, ditadas deste lado da vida, de acordo com as suas experiências de além-túmulo, ficaram ainda mais patentes as implicações para o espírito em relação aos seus atos e pensamentos, esclarecidas as várias leis que regem a própria vida.

[26] Sobre a relação do espiritismo com o Paráclito ou Consolador prometido por Jesus, veja o cap. 6 de *O evangelho segundo o espiritismo*, de Allan Kardec (diversas editoras).

A seguir, relacionamos cada um dos sete grandes chacras para tecer comentários acerca de suas associações particulares com esta ou aquela estrutura do corpo físico.

coronário

Recebe diretamente a influência do espírito, agindo sobre os outros chacras, embora conserve sua função independente. A matéria mental encontra nele sua fonte sagrada de manutenção e renovação, quando é absorvido e transformado o fluido cósmico e divino em matéria psíquica propícia à dinamização do pensamento, enquanto infunde seu energismo magnético nas células nervosas, em constante transmissão da vontade do espírito.

É o mais importante vórtice energético, destinado a receber e processar as influências sublimadas dos planos imortais, promovendo a iluminação da consciência, situado, para tanto, no local correspondente à parte superior da cabeça, na dimensão etérica.

É responsável pelos demais vórtices ou chacras e constitui a base das atuações do psiquismo espiritual através dos corpos que se manifestam nas diversas dimensões da vida, canalizando as mais íntimas atividades da alma, de acordo com as possibilidades que se manifestem na conduta de cada um.

As idéias e os ideais nobres e elevados encontram aí sua fonte de alimento energético, que eleva a alma às manifestações de superioridade espiritual. É importantíssimo nas transcomunicações realizadas entre os dois planos da vida, pois esse chacra está intimamente ligado à glândula pineal, centro de energias divinas na intimidade do homem.

Recebe das dimensões superiores da vida as idéias, em forma de intuições, promovendo a ligação do ser humano com os mundos sublimes, de onde se originam todas as manifestações superiores da vida mental.

frontal

Localizado na região correspondente ao lobo frontal, dinamiza as atividades do espírito através dos sentidos, que funcionam como portas abertas às realidades objetiva e subjetiva do universo. Sabedoria, ciência, arte e vários pendores do senso estético da alma são exteriorizados através desse fulcro sagrado, que trabalha diretamente ligado ao psiquismo e às manifestações intelectivas da alma.

As glândulas endócrinas são diretamente influenciadas por esse chacra, juntamente com algumas funções do sistema nervoso, que lhe recebe de forma direta a influência.

Em qualquer caso de tratamento com base na fisiologia espiritual, há que se considerar a importância desse centro de vida e energia na disposição que o Criador lhe colocou para o equilíbrio do ser. As manifestações de clarividência e de outras possibilidades da vida íntima da alma, através da mediunidade intelectiva, são profundamente relacionadas a esse chacra, que facilita as manifestações da paranormalida-

---

[27] Os fenômenos paranormais — ou seja, os fenômenos produzidos pelo psiquismo humano que ainda não encontraram explicação pelas leis naturais conhecidas — são também denominados fenômenos *psi*. Em 1922, Charles Richet, fisiologista francês ganhador do prêmio Nobel em 1913, apresentou em Paris o *Tratado de metapsíquica*, dividindo tais fenômenos em subjetivos e objetivos, que equivalem a *psigama* e *psikapa* para a parapsicologia, tipos aceitos por praticamente todos os

de classificadas pela parapsicologia como sendo de caráter *psigama*,[27] matéria tão bem apresentada, documentada e classificada por Allan Kardec em *O livro dos médiuns*.[28]

laríngeo

Encontra-se localizado mais ou menos na parte etérica correspondente à tireóide,

controlando certas glândulas do corpo físico e atuando diretamente nos mecanismos da voz. Quando bem desenvolvido pode repercutir em fenômenos vocais melodiosos e mais inteligíveis.

É importante centro psicofônico — ou seja, que diz respeito à mediunidade falante —, principalmente quando ocorre a psicofonia inconsciente ou sonambúlica, situação em que o espírito comunicante consegue transmitir sua própria tonalidade de voz, sotaques ou mesmo a linguagem que lhe é peculiar, durante os fenômenos mediúnicos.

É através desse chacra que se realizam as manifestações da alma no mundo fenomênico, demonstrando sua capacidade de convivência com as demais criaturas pela comunicação verbal.

cardíaco

Situado sobre o coração físico, controla seu ritmo, podendo equilibrar os sentimentos da criatura. Auxilia na distribuição e na oxigenação do sangue. Quando bem

---

parapsicólogos: A) *psigama* ou subjetivos: os efeitos mentais ou intelectuais, como telepatia, clarividência, clariaudiência, xenoglossia; B) *psikapa* ou objetivos: os efeitos físicos, produzidos pela ação da mente sobre a matéria, como levitação, transportes, desvio de pequenos corpos.

Alguns pesquisadores modernos aceitam uma terceira categoria de fenômenos paranormais: C) *psiteta*: aqueles que têm interferência de mentes incorpóreas (individualidades desencarnadas).

[28] *O livro dos médiuns ou guia dos médiuns e evocadores*, de Allan Kardec, foi publicado pela primeira vez em Paris, na França, no dia 15 de janeiro de 1861. Há diversas traduções disponíveis no Brasil.

[29] De modo geral, *emoção* e *sentimento* são usados como sinônimos. Alguns teóricos, contudo, distinguem os dois, embora não haja uniformidade nas considerações.
Simplificadamente, podemos dizer que emoção (do lat. *motio* = movimento) é um impulso processado pelo sistema nervoso e que move o indivíduo para a ação. É um estado orgânico, acompanhado de alterações respiratórias, circulatórias e exsudatórias, bem como de excitação mental acentuada. Assim, um indivíduo que sente raiva é movido à ação de não ceder seus direitos, pois seus limites estão sendo invadidos. Já o termo *sentimento* tem sido usado atualmente para designar uma disposição mental com relação a algo ou alguém. Podemos entendê-lo como ação decorrente de decisão e propósito, e não reação, como no caso da emoção.

desenvolvido, costuma transformar em sentimentos as emoções,[29] tocando com suas vibrações as extremidades do chacra umbilical.

Os espíritos responsáveis pelos médiuns, seus mentores, costumam ligar-se a eles através deste importante fulcro de energia.

É o chacra desenvolvido pelos grandes missionários, como Jesus, Francisco de Assis, Tereza d'Ávila e outros que vivenciaram o amor em sua plenitude divina, pois é por esse chacra, em sintonia com o coronário, que o espírito entra em sintonia com os mundos divinos.

Pela vibração desse energismo divino, mentores e amigos mais elevados fazem-se mais perceptíveis aos seus médiuns, pois que, através dele, conseguem canalizar os recursos do amor para aqueles que necessitam.

O chacra cardíaco é importante igualmente nas reuniões de ectoplasmia,[30] quando passamos a utilizá-lo na exsudação de uma espécie de ectoplasma muito útil para a materialização de medicamentos no tratamento de meus irmãos. Nesses casos, o chacra referido, com sua luminosidade peculiar, facilita-nos as tarefas, doando sua vibração na elaboração de fluidos mais sutis e de qualidade superior, o que torna proveitoso o fluido exsudado para produzir recursos terapêuticos desenvolvidos deste lado da vida.

É imensamente utilizado quando em tratamento de entidades endurecidas, para a irradiação de fluidos amorosos, que são direcionados a partir do centro cardíaco dos médiuns em direção à mesma região, no espírito renitente.

gástrico, umbilical ou do plexo solar

Situa-se ligeiramente acima do umbigo. É o responsável pelo metabolismo do processo digestivo, controlando também todo o sistema vago-simpático, o qual recebe influência constante do plexo solar. Os espíritos que se manifestam através da ligação com este chacra geralmente são os que se encontram com sentimentos de ódio, vingança, ou ainda com um profundo sofrimento, uma vez que esse chacra responde pelas emoções. Daí o médium sentir a repercussão dos sentidos do desencarnado, quando da incorporação ou da psicofonia; uma vez ligado ao médium, traz vivamente a ele suas dores, raivas e outras emoções mais fortes.

Este chacra pode estar seriamente comprometido naqueles que possuem dificuldades com emoções descontroladas ou conflitos emocionais mais graves. Deve-se aí concentrar, então, toda a atenção quando do tratamento realizado.

É também para aí que devem convergir os esforços para o tratamento de pessoas nervosas, irritáveis ou que facilmente choram, pois a magnetização desse importante centro de energia poderá, quando realizada por pessoa experiente, restaurar o equilíbrio emotivo do paciente, principalmente nos casos de depressão, tristeza ou melancolia.

Por exemplo, o sentimento de amor por alguém é o ato de decidir pelo bem dessa pessoa independentemente das circunstâncias, ou mesmo das emoções suscitadas pelas ações dessa pessoa, que podem gerar raiva em determinados momentos. Então, a raiva, que é circunstancial (emoção), não impede o amor, que é uma disposição do espírito, da mente.

Este é também um dos chacras para o qual devemos dirigir a nossa atenção, principalmente nos casos de desenvolvimento de mediunidade, uma vez que, nessa fase, os meus irmãos captam muitas emoções de espíritos menos elevados, até que aprendam a sintonizar-se com o Alto.

esplênico

Sua função é extremamente importante para manter o equilíbrio orgânico, já que está relacionado à produção do plasma sangüíneo, ao equilíbrio vital e à distribuição dessas mesmas energias vitais pelo corpo. Absorve a vitalidade dos raios solares, transformando-a em magnetismo, para nutrir tanto o duplo etérico como os corpos espiritual e físico. O esplênico também é utilizado nos processos mediúnicos.

Sendo este chacra o armazenador e processador de fluidos vitais necessários ao organismo, é evidentemente o mais visado por entidades vampirizadoras, que, através do esplênico, sugam as energias da vítima, diminuindo-lhe a resistência, ocasionando também a redução da capacidade de absorção dos fluidos vitalizantes que se manifestam através da energia do sol, ou *prana*, processada na medida da necessidade do organismo. Quando se observa a atuação de *vampiros* ou parasitas[31] através deste chacra, existe a necessidade urgente da terapia espiritual, desligando-o do encarnado, pois, durante o processo de simbiose, pode a infeliz entidade levar a sua vítima ao completo esgotamento

[30] Ectoplasmia é o processo conhecido popularmente como *materialização*, em que elementos do plano espiritual (objetos e pessoas) tomam forma no plano físico. Entenda-se que a substância espiritual não se *transforma* em um elemento material, mas um ser ou objeto da dimensão espiritual torna-se visível e tangível pela condensação de uma substância sutil, denominada ectoplasma, que emana de certos indivíduos.

psicofísico, causando-lhe o desencarne; ou, no caso de parasitas, poderá diminuir-lhe a resistência orgânica, facilitando a proliferação de vírus no organismo do indivíduo.

genésico,
básico ou fundamental

Este chacra constitui importante centro energético. É o responsável pela metabolização do magnetismo primário de que se utiliza para o desenvolvimento da energia criadora nos processos de co-criação, na manutenção da forma física e na elevação da alma. Através deste chacra é que a energia primária, chamada de *kundalini*,[32] é absorvida e distribuída conforme a destinação específica. Tal energia guarda um forte ascendente sobre o homem, por estar ainda materializado, ou mais ou menos dominado pelo instinto de sua parte menos espiritualizada, sendo, por isso, desaconselhável o despertamento prematuro deste centro básico de energia.

Nos intercâmbios mediúnicos obsessivos, espíritos infelizes ligam-se a este chacra em processo mecânico, bastando para isso a intenção de aproximar-se do médium ou de atuar sobre sua vítima, provocando, no caso de algumas obsessões, intensa atividade no centro genésico, com conseqüente desequilíbrio da função sexual.

Aí se ligam espíritos embrutecidos pelo uso irregular das forças sexuais, aumentando as sensações de prazer e mesmo de insatisfação ou não saciedade sexual, em virtude

[31] Para saber sobre vampiros e parasitas energéticos, ver o livro *Legião: um olhar sobre o reino das sombras* (Robson Pinheiro pelo espírito Ângelo Inácio).

---

[32] *Kundalini* (pronuncia-se *kundaliní*) é uma palavra sânscrita, feminina, que designa a força vital presente em nosso ser, localizada na região do osso sacro e com possibilidade de ascensão ao longo da coluna vertebral, através dos chacras.

*Os chacras, localizados no
duplo etérico, são os responsáveis
pela transformação e pela distribuição
das energias ao longo das nadis — e, por
conseguinte, aos órgãos
físicos a eles associados.*

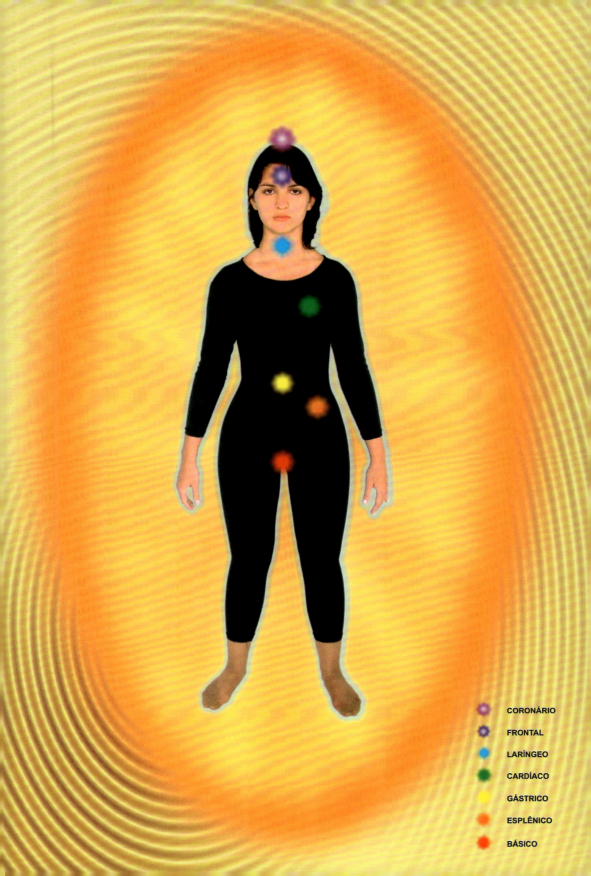

do aumento artificial da libido.

É ainda através do básico ou fundamental que têm ação os diversos parasitas astrais, as larvas ou outras criações mentais mórbidas, penetrando e alastrando-se pela constituição delicada do duplo etérico e atingindo mais tarde o perispírito. As intoxicações causadas por esses parasitas refletem-se nos demais chacras inferiores,[33] causando descompensação dos fluidos vitais, com reflexos notáveis no corpo físico, que, segundo a intensidade, apresentam-se até mesmo como patologias diagnosticadas pela medicina terrena.

Quando o espírito reencarna, advindo de um passado espiritual em que abusou de forma mais intensa das leis básicas da vida, e mesmo quando nos planos adjacentes à crosta planetária não expurgou do perispírito, de forma completa, os fluidos mórbidos que adquiriu por seus vícios e desregramentos, renasce com este chacra — ou os demais classificados de inferiores — afetado por sérias disfunções, caso em que a terapia magnética e a radical reformulação moral do indivíduo muito ajudarão em seu reajustamento.

Em muitos casos que analisamos deste lado de cá da vida, observando as anomalias ou disfunções nas questões da sexualidade, mesmo quando tais desequilíbrios são diagnosticados por nossos irmãos, os médicos encarnados, existe intensa inversão da estrutura energética deste chacra, que poderia ser tratado com o uso de magnetismo

[33] Os chacras genésico, esplênico e umbilical são considerados inferiores devido à sua localização, e não por serem menos importantes que os outros.

espiritual, acompanhado da moralização do espírito. Nesse contexto, podemos catalogar as diversas enfermidades que são classificadas como doenças venéreas ou sexualmente transmissíveis como tendo direta relação com o mau uso das energias produzidas por esse centro energético.

Mas é particularmente quando surge a contaminação pelo supervírus HIV que vemos desfigurada a conformação destes chacras — genésico, esplênico e gástrico ou solar. No caso particular do chacra genésico, a sua base ou ramificação atravessa o plexo pélvico, o hipogástrio, terminando entre a vértebra sacra e a primeira coccígea; seus vórtices são aferentes, ou seja, absorvem energias externas, canalizando-as para a contraparte etérica e o corpo espiritual. Quando se dá a contaminação de que falamos, passa a funcionar desreguladamente, ora absorvendo resíduos da atmosfera fluídica e muitas vezes expelindo os fluidos vitais daquele que é portador do vírus. Quando expele os fluidos, causa extrema descompensação magnética, o que provoca a exaustão física, uma das características dos nossos irmãos que contraíram a enfermidade.

Agindo conjuntamente com o chacra esplênico, também afetado, já é suficiente para promover o caos orgânico, instalando assim um ritmo, muitas vezes até lento, de decomposição das células sangüíneas, bem como a intoxicação do duplo etérico, contribuindo para o desencarne do companheiro detentor da enfermidade.

No entanto, para aqueles nossos irmãos que já se conscientizaram de sua realidade espiritual e cujas aquisições pretéritas no campo moral permitem intervenções mais profundas por parte dos companheiros espirituais, existem recursos deste lado de cá da vida, ao infundirmos energias revitalizantes e intervirmos tanto no duplo etérico — com antivírus estruturados com base na matéria astral ou no ectoplasma fornecido por outros irmãos — quanto diretamente no perispírito — através de microcélulas extraídas dos diversos reinos da natureza, por processos ainda difíceis de compreender por meus irmãos, e que são, por assim dizer, implantadas no corpo espiritual, quando utilizamo-nos da parte etérica de tais microcélulas. Uma vez aí implantadas, passam a funcionar nas correntes magnéticas que compõem o corpo etéreo-espiritual como organismos vivos, que retardam a ação destruidora do supervírus HIV no corpo físico. Isto facilita-nos fazer trocas ou transfusões periódicas das energias vitais do indivíduo soropositivo, porém em espaços de tempo maiores.

Quando a lei cósmica nos permite, e sem interferir no processo cármico do indivíduo, tais recursos tendem a regular o funcionamento do chacra afetado, proporcionando o prolongamento da vida do espírito no corpo somático ou mesmo promovendo a cura da enfermidade, conforme seja o caso.

O médium vidente que possa perceber o chacra básico,

no presente caso de contaminação que analisamos como exemplo, o verá como um carro que roda desreguladamente, como se estivesse quase parando sua roda, em seu movimento em torno de si mesma, apresentando ainda coloração anormal — verde esbranquiçada, com manchas azuladas nas bordas — e parecendo expelir, nesse funcionamento irregular, uma substância repulsiva, semelhante a pus, nos casos de inflamação.

O passe magnético é uma terapia de singular efeito nesses casos, não impedindo, no entanto, a orientação médica[34] terrena. O que aqui analisamos não se constitui em regra absoluta para todos os quadros, mas é apenas um, entre tantos por nós assistidos deste lado de cá da vida, e tão-somente comentado nestas páginas para melhor visualização, por parte dos companheiros, de que não deverão deter-se apenas em nossas palavras; é necessário ampliar os estudos e observações em torno da temática e de outros assuntos importantes para todos nós. Não temos a pretensão de dar a última palavra a respeito do assunto, e sim despertar a atenção de meus irmãos quanto à necessidade de estudo.[35]

[34] O tratamento espiritual, como os espíritos superiores não se cansam de afirmar, é complementar ao tratamento médico, e não substitutivo deste.

perguntas e respostas

1. Quanto aos tratamentos de cromoterapia, existe realmente alguma influência das cores no tratamento de doenças?

Tudo no universo vibra de acordo com energismo próprio. A cor já é uma vibração específica da luz, que, em determinadas circunstâncias, incide sobre a retina causando a impressão apropriada a cada tonalidade cromática.

É certo que certas vibrações, ao atingirem o energismo do corpo perispiritual, podem aumentar o fluxo energético, causando algumas reações que poderão ser transmitidas aos órgãos físicos, conforme a natureza da emissão, a intensidade e a qualidade. Isso posto, convém determinar até que ponto o simples emprego do raio luminoso poderá afetar, ou não, a saúde do homem. Não se justifica a idéia de que uma simples lâmpada colorida empregada aleatoriamente possa curar determinada moléstia. Existem, sim, as influências vibratórias, que até poderão ser provocadas pela ação cromoterápica, quando esta é direcionada conforme critérios previamente estudados e cientificamente comprovados, mas, acima de tudo, é a mudança do padrão vibratório do indivíduo[36] que poderá promover o bem-estar íntimo que irá se manifestar no soma, no momento adequado.

O que acontece é que companheiros portadores de uma vontade de ajudar, ao lerem alguns livros considerados pelo público espiritualista, acabam por adotar o método de tratamento da cromoterapia, apenas com algumas noções elementares a respeito do assunto, e já querem colocá-la em prática dentro das casas espíritas, o que é lamentável. No Brasil, principalmente, ainda não se desenvolvem estudos de laboratório e com controle científico a respeito do assunto, deixando-se muito a desejar no tocante à prática cromoterápica.

Deste lado da vida, é comumente empregada a vibração das cores em diversos tratamentos realizados no perispírito de companheiros necessitados, mas isso sob a supervisão de elevados irmãos que já dominam a técnica e que possuem a experiência comprovada. Entre meus irmãos encarnados, tais práticas não passam ainda de

[35] Como bom pesquisador e conduzindo-se com honestidade científica, Joseph Gleber deixa aberta a possibilidade de o estudioso da ciência espiritual expandir seus conhecimentos, buscando outros autores que complementem suas anotações.

Não são poucos os que alertam para o fato de que tem ocorrido certa estagnação no meio espírita por medo de que os novos estudos entrem em choque com a chamada pureza doutrinária. Porém, o próprio codificador da Doutrina apontava a necessidade de que o espiritismo avançasse com a ciência. Kardec era um investigador que não tinha medo dos fatos. Pesquisou-os até descobrir e sistematizar uma teoria que abarcasse todas as possibilidades de explicar o processo em exame. Além disso, não tinha medo de ser questionado. Diz ele na *Revista espírita* de abril de 1866: *Jamais o Espiritismo disse que seria preciso fazer abnegação de seu julgamento e submeter-se cega-*

tentativas isoladas de alguns, buscando acertar no que concerne ao uso da cromoterapia, faltando, como já dissemos, o controle e o critério científico a fim de bem orientar os meus irmãos.

2. Porventura os tratamentos realizados em algumas casas espíritas com a cromoterapia têm algum resultado comprovado?

Meu irmão deseja uma resposta baseada no que os espíritas dizem e pensam, ou no que os espíritos estão estudando?

3. De preferência, baseada no que vocês, os espíritos, observam em tais situações.

Muitas curas realizadas nos trabalhos espíritas são devidas, ao mais das vezes, ao potencial de doação de ectoplasma de alguns médiuns, que são assessorados por espíritos conhecedores das dificuldades de meus irmãos, e não pelo emprego de determinadas lâmpadas coloridas ou outros artifícios que encobrem, muitas vezes, a incapacidade e o despreparo de dirigentes e médiuns para solucionar complicados ou simples problemas daqueles que vêm em busca do lenitivo para suas dores.

Em alguns casos, por falta de conteúdo e força moral, muitos empregam uma série de recursos inúteis, com o objetivo de cobrir o que lhes falta de mais profundo, e acabam por encher a casa espírita de uma série de terapias, estranhas à realidade atual do centro espírita.

Certamente, muitos casos de emprego de cores pela vibração mental poderão beneficiar em alguns casos; mas, em muitos casos, é a força magnética do médium, aliada à ação dos bons espíritos, que é mascarada pelo colorido, que realiza a tarefa abençoada de recuperação da saúde psicofísica de meus irmãos.

4. Então, não têm nenhum valor os trabalhos de cromoterapia realizados

---

mente ao que dizem os Espíritos. São os próprios Espíritos que nos dizem para passar todas as suas palavras pelo cadinho da lógica, ao passo que certos encarnados dizem: "Não creiais senão naquilo que dizemos, e não creiais no que dizem os Espíritos". Ora, como a razão individual está sujeita a erro, e que o homem, muito geralmente, é levado a tomar sua própria razão e suas idéias pela única expressão da verdade, aquele que não tem a orgulhosa pretensão de se crer infalível a refere à apreciação da maioria.

no centro espírita?

Não falamos isso. Quando alguém se dispõe a servir, o Alto envia recursos para auxiliar os companheiros que se apresentam para o trabalho, ampliando-lhes as possibilidades conforme seja necessário. O que salientamos é a necessidade de se realizarem mais estudos e pesquisas sérias e controladas a respeito desse assunto, pois o que se observa, em muitos casos, não todos, felizmente, é uma certa tendência a modismos que periodicamente invadem certos centros espíritas, na falta de um posicionamento doutrinário coerente com os postulados espíritos. Que cada um se dedique ao que sabe ou julga saber realizar, mas dizer que qualquer terapia empregada é compatível com o caráter da Doutrina, isso é aventurar-se demais.

5. Muitos livros e autores espirituais falam da localização dos chacras no duplo etérico, enquanto outros os localizam no corpo astral. Qual a sua localização exata?

Na verdade, o sistema de chacras é muito maior que o estudado por meus irmãos. A denominação de sete chacras corresponde aos chacras principais, que trabalham como transformadores da energia divina em vários níveis dimensionais.

Considerando-se o conceito de dimensões ou de vibrações, podemos dizer que os chacras se localizam no duplo etérico e que são os responsáveis pela assimilação e distribuição da energia vital, que irriga as células do corpo físico. No entanto, sendo o duplo etérico uma duplicata do corpo físico, tendo sido a sua formação presidida pelas estruturas superiores do corpo perispiritual, igualmente neste existe um sistema equivalente de chacras em dimensão ou vibração superior à do duplo, que, enraizando-se nele, transfere e processa os fluidos

É necessário precaução para não criar dogmas espíritas, para não tornar o espiritismo uma doutrina morta, imexível. Afirma Joseph Gleber em Além da matéria: Não se faz ciência com anuência autoprogramada. Não se faz ciência espírita concordando sempre com os espíritos. É preciso desenvolver o espírito de análise, de pesquisa. É necessário romper as barreiras do convencionalismo e apresentar-se ao mundo como um cientista da alma. Meus irmãos têm a disposição o pensamento, a razão, a intuição e a sensibilidade.

OS CHACRAS **113**

do Plano Superior, que contribuem para o equilíbrio íntimo do ser humano. O corpo perispiritual ou astral é a sede das emoções, e os seus chacras — didaticamente designados por *centros de força* — relacionam-se intimamente com o estado emocional da pessoa, enquanto os chacras etéricos, através das *nadis*, trabalham as energias astrais, transformando-as em vitalidade e nas funções nervosas e glandulares, que facultam o estado de *saúde física*, conforme vocês denominam. Mudam-se os nomes, como chacras, centros de força e outros, mas o que importa, na verdade, são as suas funções.

6. Qual a função dos chacras, em relação à saúde do homem?

Os chacras são transformadores de toda a energia que o ser humano recebe para o seu equilíbrio biopsíquico. O seu íntimo relacionamento com o sistema nervoso os faz responsáveis pelas ligações ou impulsos que envolvem os nervos do cérebro humano, além de atuarem nas glândulas endócrinas e na produção hormonal.

7. Quando o irmão falou dos chacras, disse algo a respeito das nadis; *isso é pouco conhecido nos meios espíritas, e, na verdade, nós mesmos nunca ouvimos falar a respeito.*

Falta-lhes o espírito de pesquisa,[37] que os libertarão dos limites estreitos do sectarismo religioso e filosófico que, atualmente, se observa em muitos do movimento espírita e que os faz perder oportunidades de acrescentar algo ao acanhado conhecimento que possuem.

O termo *nadi* foi criado pelos hindus, e, no momento, não encontramos motivos para não utilizar esse mesmo nome ao nos referirmos a determinada parte da fisiologia espiritual.

Considerando-se a parte etérica do ser humano, em um

---

[36] Joseph reitera que a saúde se manifestará apenas pela mudança de conduta do indivíduo. Do contrário, pouco valem as técnicas empregadas, quaisquer que sejam elas. Note-se que o autor espiritual, embora admita a legitimidade de conhecimentos e técnicas de diversas procedências, insiste em que nada deve ser utilizado sem estudo e pesquisa criteriosos.

sistema paralelo ao sistema nervoso, existe uma rede de energia que mantém a ligação dos diversos chacras com os plexos e células nervosas. Na verdade, o sistema nervoso no corpo humano é a materialização dessa rede invisível, que é composta nos fluidos etéricos ou na corrente eletromagnética do corpo espiritual.

A ciência humana e muitíssimos estudiosos da ciência espiritual ainda ignoram a existência desse delicado sistema circulatório da energia eletromagnética que ativa os nervos e que, muitas vezes, é responsável, quando obstruído, por inúmeras enfermidades ou distúrbios nervosos de difícil solução nos quadros da medicina convencional, requerendo uma ação magnética a fim de restabelecer o equilíbrio.

É algo semelhante com o que nossos irmãos chineses afirmam a respeito dos meridianos. O termo é empregado visando não complicar com vocabulário novo que venha dificultar o entendimento de meus irmãos. Para nós, as palavras pouco importam.

8. Poderia nos esclarecer quanto à utilidade do timo ou sua relação com a saúde do homem?

A pergunta do irmão guarda uma causa curiosa, por tratar-se de assunto que já deveria ser do conhecimento médico, principalmente do médico que se diz espírita, como o irmão [que formulou esta questão].

No entanto, podemos dizer que, embora muitos homens de ciência não reconheçam a função do timo após a adolescência física, esse órgão está profundamente relacionado ao chacra cardíaco e responde pela força imunológica do organismo físico, o que, mais tarde, a ciência terrena poderá descortinar mais intensamente, conforme for adentrando nas questões de ordem mais ampla, numa

---

[37] São palavras de Allan Kardec, na *Revista espírita* de 1858: "A história da doutrina espírita, de alguma forma, é a do espírito humano. O estudo dessas fontes nos fornecerá uma mina inesgotável de observações, instrutivas e interessantes, sobre fatos gerais pouco conhecidos".

nova visão do aparato fisiológico do homem.

Acreditava-se que a produção de linfócitos T, durante a infância, terminava após a puberdade e a adolescência, perdendo o timo[38] a função física a que, segundo os cientistas, estava destinado. Contudo, essa glândula guarda estreitas ligações com o campo etérico, no que concerne às defesas imunológicas, mesmo que, aparentemente, não se desenvolva ou reduza sua função em determinada fase da vida física. Além de produzir as timosinas, hormônios que incrementam os linfócitos T, o timo é elemento que transmite dos corpos sutis a energia eficaz que combate a ação de vírus e bactérias e é diretamente ligado à vibração do chacra cardíaco e aos estados emocionais.

Isso será, mais tarde, objeto de pesquisa para meus irmãos, que poderão descobrir como o mau funcionamento do centro cardíaco, em sua íntima relação com o timo, poderá estabelecer a predisposição para algumas enfermidades que hoje desafiam o conhecimento médico. Quando se dá esse funcionamento desregulado, pelo aumento exagerado da atividade dos chacras básico e esplênico, promovendo o caos orgânico, estes despendem vitalidade de maneira desordenada e sugam as energias etéricas do timo. Esse estudo deve ser realizado de maneira a se compreender o funcionamento da fisiologia etérica ou sutil do ser humano. Aí, então, essa função será mais bem compreendida.

---

[38] O timo é uma pequena glândula situada no tórax, responsável pela produção de linfócitos T (de *timo*) e importante no equilíbrio imunológico do organismo.

A maioria dos textos afirma que o timo involui e perde sua função após a puberdade, sendo substituído por gordura. No entanto, artigo recente (2004) de revisão da literatura científica (ver bibliografia) declara que, apesar dessa involução, o órgão mantém sua função protetora.

psicossoma

NA COMPREENSÃO e no estudo do corpo espiritual reside o entendimento para muitos problemas, por enquanto insolúveis, para os meus irmãos na Terra.

Enquanto a ciência esquadrinha o organismo fisiológico, já começando a antever as possibilidades do futuro pelos ensaios que realiza na área do psiquismo humano, deste lado de cá, há muito, estudamos a fisiologia do corpo espiritual, definido pelo vocabulário espírita como *perispírito* e pelas escolas espiritualistas como *corpo astral*, com a complexidade de seus órgãos e funções, estruturados numa dinâmica superior à do corpo físico.

Já iniciamos, igualmente, outros estudos em corpos mais sutis, tais como o corpo mental, de que todo espírito se reveste em sua intimidade anímica.

Quando se fala da natureza do corpo perispiritual como

[39] Textos de vários autores esoteristas (como Helena Blavatsky, Charles Leadbeater e Rudolph Steiner), bem como da literatura rosacruciana fazem referência aos corpos espirituais, baseados em ensinamentos milenares e em suas próprias observações. Lamentavelmente, a maioria dos estudiosos espíritas não conhece tais textos e mesmo os rejeita, demonstrando desconhecer que o legítimo pesquisador deve buscar informações em todas as fontes que se demonstrem úteis. Se Kardec tivesse agido como muitos espíritas atuais, descartando fenômenos que desconhecia e que não eram considerados dignos de atenção, talvez hoje não conhecêssemos os postulados espíritas. Com isso não queremos dizer que devemos costurar retalhos na doutrina espírita, tornando-a um *patchwork* de outras doutrinas. O espiritismo é um sistema com unidade e personalidade própria, muito bem delineado por Allan Kardec, e não se despersonalizará pelo estudo que seus adeptos fizerem de postulados de outras escolas. A doutrina espírita não deve abdicar de sua posição de humildade científica e respeito a outras vertentes do pensamento espiritual, pois pode aprender com todas elas.

sede do psiquismo, os espiritistas, de um modo geral, perdem por olvidar as pesquisas realizadas pelos nossos irmãos de outras escolas,[39] com os estudos dos diferentes corpos sutis de que se reveste o espírito imortal em sua jornada rumo à perfeição. Mesmo englobando os corpos sutis numa única denominação de perispírito, grande tem sido a contribuição de abalizados companheiros, encarnados e desencarnados, com suas observações a respeito do assunto.

O corpo espiritual é a organização definitiva, cujo tempo de duração, na cronologia feita por meus irmãos, não encontra termo, pois sua natureza escapa à ação destruidora do tempo nas inúmeras reações do meio físico.

Desde há milhares de anos, quando a mônada divina inaugurou sua escala no fundo dos oceanos, rumo à ascese infinita no seio do cosmos, teve início a elaboração dos princípios eletromagnéticos com os quais são sustentadas as células astrais do corpo espiritual, desenvolvendo-se nele os órgãos e sistemas, sensibilidades e sutilezas que caracterizam a organização psicossomática.

A idéia de órgãos funcionando na intimidade do corpo espiritual às vezes assusta muitos dos irmãos espiritistas, que ainda nos imaginam os espíritos como fantasmas vaporosos e gaseificados. Na realidade, a existência de toda uma organização íntima no perispírito é um fato, pois que é ele o organizador das contrapartes físicas, estruturando cada célula, cada órgão e cada sistema existente no corpo físico de acordo com a matriz original — que é ele mesmo. Embora os órgãos existentes no interior daquilo que se pode chamar de campo espiritual, suas funções diferem daquelas desempenhadas pelos seus correspondentes na área biológica, dependendo da maior ou menor desmaterialização do espírito. Alguns órgãos, de natureza mais material, encontram-se, muitas vezes, atrofiados pelo desuso que a condição de desencarnado impõe ao ser, mesmo porque, no ambiente da erraticidade, em que o espírito se encontra, outras necessidades se fazem presentes, e muitas daquelas de que se servia na Terra desaparecem, por desnecessárias, à medida que se adapta à forma existencial extrafísica.

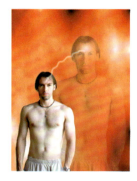

Enquanto encarnado, é o perispírito o fator de equilíbrio vital que proporciona a coesão molecular e a manutenção da forma do mundo físico.

Modelo organizador primordial, segundo a própria definição de alguns estudiosos da Terra, possui, além das matrizes dos órgãos biológicos, um sistema de vórtices energéticos, responsáveis pela transformação, filtração, distribuição e canalização das energias cósmicas e eletromagnéticas, oriundas tanto do espaço universal como da própria intimidade do ser — mais precisamente, de sua estrutura psicofísica e espiritual, que mantém sua natureza eletromagnética inalterada, em meio às transformações da matéria.

Este corpo é constituído de matéria astral — advinda

de elementos imponderáveis da própria atmosfera — que, por sua vez, já é a transformação do fluido primordial, que meus irmãos espiritistas denominam *fluido cósmico universal* ou simplesmente *fluido universal*.

A natureza sutil e energética do corpo espiritual ou perispírito, constituído por matéria de freqüência energética situada além da faixa normal de percepção humana, torna-o extremamente sensível aos fatores externos e internos, gravando, em sua própria estrutura astralina, todas as informações produzidas pela experiência do espírito, encarnado ou desencarnado, atuando sobre o dinamismo de seus centros energéticos. Sendo assim, a vida moral e emocional de cada ser pode alterar, preservar ou violentar todo o sistema eletromagnético do corpo espiritual. Vemos, por isso, que as nossas ações, pensamentos e emoções determinarão, segundo sua intensidade e persistência, o grau de saúde espiritual demonstrado por nosso espírito no plano das inteligências imortais. Por isso é que as várias enfermidades, ou os estados enfermiços de natureza patológica ou psicológica, guardam estreita ligação com as atitudes morais desenvolvidas pelo espírito nesta, como em existências transatas.

As emoções humanas, com seus padrões muitas vezes inexprimíveis de moralidade, têm sua origem na intimidade do corpo perispiritual, segundo se expressa o espírito em seu veículo imortal de manifestação. Todas as funções puramente físicas ou glandulares, que determinam, de maneira básica, os estados de saúde ou as condições psicológicas enfermas dos indivíduos, enquanto na carne, trazem suas raízes na atividade das células e dos órgãos do corpo perispiritual.

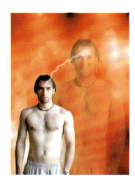

A esfera extrafísica ou energética, onde se localiza e movimenta o corpo espiritual, apresenta, em idêntica expressão à do perispírito, a propriedade de fazer com que os pensamentos e emoções possuam suas formas, cores, odores e características singulares, os quais chegam até mesmo a adquirir uma existência temporária e desvencilhada do seu criador, de acordo com a intensidade da mente geradora ou da vontade, expressa através mesmo do pensamento.

A possibilidade de os nossos pensamentos poderem influir tão profundamente na intimidade do nosso perispírito, bem como nas atividades morais do ser pensante, descortina uma nova visão a respeito da problemática da existência humana, com implicações muitíssimo sérias, tanto para os pesquisadores do campo científico quanto para o homem comum.

A própria existência de uma energia magnética que faz parte da estrutura do corpo astral, assim como de todo o ambiente astralino ou extrafísico, faz com que o psicossoma atraia para si tudo aquilo que esteja em harmonia com suas vibrações ou repila tudo aquilo que lhe é contrário. Por conseguinte, o perispírito determina que as energias salutares ou enfermiças estejam ligadas diretamente a ele e sejam absorvidas ou agregadas às próprias células, conforme o posicionamento íntimo do espírito, não importando de que lado da vida se encontre.

Por isso mesmo, as substâncias mentais, os pensamentos, as emoções, os atos e as palavras deveriam ser vistos não apenas como manifestações da alma humana, mas, sim, e principalmente, como sendo um produto de estrutura não-física e altamente eletromagnética.

Encontra-se o homem, na Terra, em estágio de vida que o algema às formas de expressão inferiores, tanto por pensamentos, palavras ou atos, quanto por suas emoções ou sentimentos. Ignorantes, em sua grande maioria, das leis vigentes na esfera dinâmica do psiquismo, os seres humanos criam, através dessas mesmas expressões sub-jetivas ou objetivas, verdadeiros agregados de energias desequilibradas, que acabam por aderir à delicada tessitura do seu corpo espiritual e traduzem-se, na esfera objetiva da realidade humana, como traumas, psicoses ou enfermidades de natureza variada.

Determinados pensamentos ou posicionamentos íntimos desequilibrados atraem para o corpo espiritual matéria astralina ou mental de igual teor e intensidade, causando disfunções correspondentes na área física, as quais escapam, na maioria das vezes, ao diagnóstico da medicina conven-cional. Enquanto isso, seus agentes-portadores rejeitam a

[40] Foi preciso grande progresso do conheci-mento humano para reconhecer a dimensão dos ensinamentos de Jesus Cristo. Com as descobertas da neuroci-ência, da pedagogia e da psicologia, por exemplo, tem ficado patente que as propostas de Jesus tinham como objetivo de-sencadear um processo de auto-educação do indivíduo, a fim de que acessasse recursos internos e promovesse, por si mesmo, a cura dos males físicos, psíquicos e sociais que o acometiam. Muitos ainda desconhecem essa faceta do grande educador de espíritos que viveu na Terra há aproximadamente 2 mil anos. Ainda estão fixados nas narrativas de "milagres" e na forma

PSICOSSOMA **123**

mudança do padrão energético, pela reformulação de seus hábitos, pensamentos e posicionamentos, e assim conservam-se longamente à mercê das vibrações mórbidas geradas por si mesmos.

A mensagem evangélica[40] revivida e ampliada pelo espiritismo cristão é toda uma ciência de magnetismo espiritual, com conseqüências profundas para a dinâmica da existência humana. Essa divina ciência, com suas implicações terapêuticas para o nosso espírito enfermo, aguarda a vontade e o interesse do espírito de devassar-lhe os sublimes postulados, a fim de operar eficazmente na própria intimidade do ser e modificar-lhe o padrão energético, elevando-lhe a vibração e harmonizando-lhe com as substâncias sutilíssimas da vida imortal.

A mudança íntima ou reformulação moral, quando adotada pelo indivíduo, exerce seu efeito por todo o sistema vibracional do psicossoma ou corpo espiritual.

Todo pensamento de natureza elevada ou posicionamento a que o ser, em sua intimidade, dá continuidade influenciam imediatamente as células do perispírito, transferindo a vibração do pensamento para a periferia fisiológica. O pensamento evangelizado ou elevado produz formaspensamento ou clichês mentais que influem de maneira direta sobre o metabolismo perispiritual, através de ondas eletromagnéticas mais sutis e vibrantes, projetando raios de elevado teor, fazendo com que, no perispírito, se processe

religiosa de compreender parábolas e acontecimentos narrados pelos Evangelhos. Contudo, como explica Joseph Gleber, a mensagem evangélica tem profundas implicações terapêuticas, aguardando que despertemos para percebê-las. Jesus Cristo não era Deus, nem louco, nem simplesmente mais um profeta, como muitos pensam. Quem se dedicar a aprofundar-se em seu legado há de comprovar o que afirmamos.

uma mudança em sua estrutura interna, que, por sua vez, se reflete nos estados emocionais ou na contraparte física, com a conseqüente recuperação da vibração local, o que se chama normalmente de saúde.

A realidade espiritual em que se situa a existência deste veículo de expressão do espírito, o psicossoma, encontra-se em dimensão superior à física e lida diretamente com a intimidade de todas as coisas, o subjetivismo da criação, os modelos originais de todas as formas físicas perceptíveis.

O tratamento ou a cura de qualquer enfermidade, de natureza psicológica ou fisiológica, deveria de antemão ater-se a essa realidade do corpo espiritual, ao dinamismo da vida imortal, para que o homem seja visto em sentido integral.

processos de manutenção do perispírito

Os processos e a alimentação do organismo físico, embora sejam diferentes daqueles do perispírito, guardam com ele estreitas ligações, variando quanto ao grau de materialização ou espiritualização do espírito. No organismo espiritual continuam as funções de alguns órgãos similares aos físicos, porém adaptados ao ambiente e às energias mais eterizadas do mundo espiritual.

Através da respiração é que o perispírito absorve a maior quantidade de fluidos responsáveis pelo bom funcionamento da fisiologia espiritual, uma vez que respira diretamente do meio as energias superiores emanadas do foco divino. O fluido cósmico universal, o *prana* dos hindus, presente em toda a criação, como energia primordial que preside e a tudo interpenetra, é absorvido através do processo respiratório, também comum ao corpo espiritual, irrigando todos os órgãos, sistemas e células astrais através de sua vitalidade divina.

Os raios solares captados e também assimilados pelos poros perispirituais transportam a energia que mantém o magnetismo psicossomático sempre ativo e atuante, colaborando com o equilíbrio íntimo do organismo em processos difíceis de entender pela medicina humana atual.

Os pulmões perispirituais, quando o ser se mantém em faixas mais sutis de ambiente espiritual, processam a transformação dos fluidos assimilados pelo espírito, produzindo a leveza com que se caracterizam as expressões diáfanas dos seres elevados.

Igualmente, o coração astral, comandado pelas energias absorvidas pelo centro energético cardíaco, é um transformador vivo do fluido cósmico universal — que, após ser processado pelo coronário, irriga todos os átomos astrais de que se constitui o corpo espiritual. O órgão extrafísico citado converte tal energia divina, esse magnetismo amoroso do Pai, em cambiantes de luz que é exsudada por todos os poros da epiderme perispiritual e lembra, em sua aparência, astros imortais, que, luminosos, gravitam em torno do

Ilustração do corpo psicossomático ou perispírito, desdobrado, com a visão do cordão de prata, que liga os corpos astral e físico.

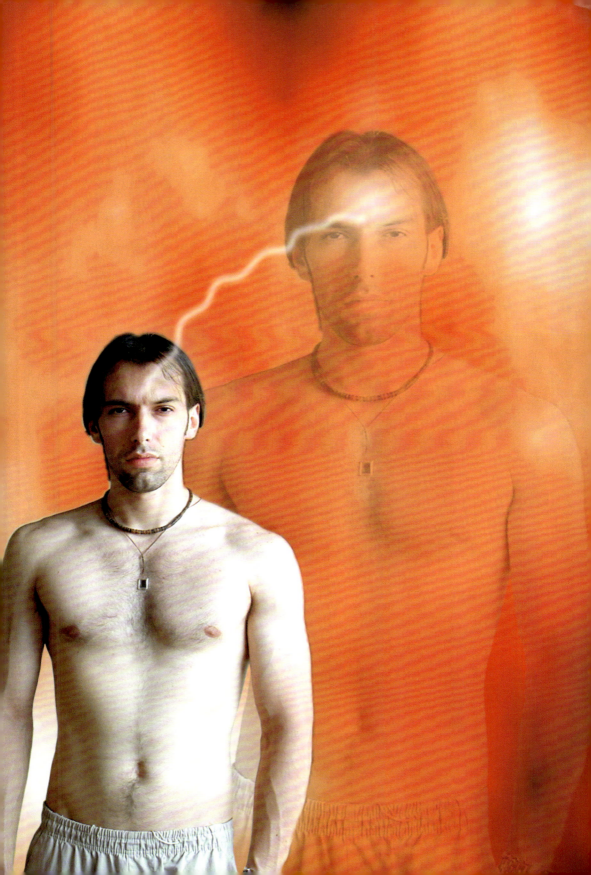

[41] Didaticamente, convencionou-se diferenciar, nesta obra, chacras e centros de força, de acordo com sua localização vibracional. Os centros de força, no corpo astral, equivalem aos chacras ou vórtices energéticos, que pertencem ao duplo etérico e que, por sua vez, localizam-se nas posições extrafísicas correspondentes aos plexos nervosos do corpo físico, como foi visto anteriormente (capítulo 5: Os chacras).

grande amor do Criador.

De forma semelhante ao sistema glandular, no psicossoma ou perispírito encontram-se os centros de força,[41] que estão intimamente relacionados com as glândulas do corpo físico, mas são responsáveis não pelos hormônios — que suas contrapartes físicas produzem —, mas pela manutenção dos estados superiores do sentimento, das emoções e da própria condição psicológica do desencarnado em crescimento espiritual.

Ao contrário, quando o espírito se degrada e se avilta, sob o império das paixões e dos sentidos, imantando-se às zonas primárias nas quais se detém o psiquismo enfermo, seus órgãos perispirituais, algo que materializados, absorvem fluidos de densidade pesada e grosseira, obrigando todo o sistema de órgãos perispirituais a funcionar como máquinas pesadas. São absorvidas verdadeiras substâncias cinzentas, massas de fluidos mórbidos e aluviões de energias animalizadas, quase materializadas, exsudando do corpo astral, em lugar da luminosidade dos ambientes sublimes, apenas a fuligem fluídica, semelhante às nuvens pastosas liberadas pelas grandes fábricas da crosta terrena.

Os pulmões perispirituais de tais espíritos, acostumados com a grosseria dos fluidos deletérios, absorvem-nos a longos haustos, de modo a impregnar as fibras sensíveis de sua organização espiritual com os miasmas pestilentos que povoam a atmosfera perniciosa em meio a qual se movimentam, aumentando, assim, o magnetismo primário que os mantém presos ao solo astral.

Igualmente, os outros órgãos, obrigados a exercer um metabolismo diferente daquele a que foram destinados na existência extrafísica, envenenam-se pelo desequilíbrio do espírito, mantendo-se este distante dos ideais do belo e do bem a que todos fomos destinados. Como conseqüência, observa-se que, na encarnação subseqüente, o perispírito enfermo agrega em torno de si, revestindo a nova couraça de carne desde a fase de célula-ovo ou zigoto, já impressos nos genes e cromossomos do corpo somático, outros núcleos igualmente propensos a estados enfermiços e a doenças variadas, muitas vezes de difícil cura nos quadros da medicina humana. Uma vez reencarnado, adota comportamentos como a ingestão de alimentos em quantidades maiores que as essenciais, o uso de condimentos e carnes em excesso, bem como o consumo de tabaco e substâncias alcoólicas ou tóxicas. Tais ações do indivíduo promovem a adesão de formas astrais densas ao delicado sistema perispiritual, comprometido previamente em seu equilíbrio original, o que favorece, muitas vezes, o surgimento de determinada doença, conforme o registro cármico que traz impresso na sensível intimidade do DNA.

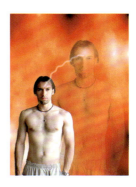

As substâncias mentais infelizes, produto de leituras, imagens e informações igualmente inferiores que o homem teima em continuar despejando para o seu íntimo, somado ao cultivo de conversações e hábitos menos dignos criam a fuligem mental absorvida e assimilada por seu perispírito, conservando-o imantado a condições inferiores de existência no mundo astral ou emocional. Estabelece-se então um círculo vicioso, que produz mais e mais formas mentais infelizes e abjetas, as quais progressivamente lhe sugam as energias psicofísicas, retendo-lhe indefinidamente no estado enfermiço; isso sem contar as inteligências vulgares que se imantam ao ser, em doloroso processo obsessivo, causa oculta de inúmeros problemas ainda insolúveis pela psicologia moderna.

Envolvendo-se nas complicadas experiências do mundo das formas, o homem agita-se em meio ao turbilhão de energias que constantemente se transformam e geram o mundo das aparências, o mundo dos efeitos — e não das causas. Na euforia de suas percepções, detém-se prisioneiro das ilusões, das sensações detectadas pelos seus cinco sentidos, pois que as coisas objetivas, externas ou materiais são apenas a simulação das coisas eternas, permanentes, do mundo espiritual. Assim, o ser pensante, devendo utilizar-se dessas coisas objetivas como matéria de aprendizado para robustecer e abrilhantar seu corpo espiritual, acaba aviltando-se e submetendo-se ao torvelinho das mesmas experiências que deveriam erguê-lo, caindo pelos despenhadeiros da viciação e do desequilíbrio.

Com base na realidade do corpo espiritual, corpo astral

---

[42] Neste capítulo, Joseph Gleber demonstra exaustivamente a utilização da visão integral do ser humano para a compreensão dos processos de enfermidade e da busca da saúde.

Note-se a menção a diversas situações que podem desencadear a doença ou auxiliar a cura: a atenção à respiração ⁻ e, conseqüentemente, à qualidade do ar ⁻, o contato com a luz solar, o zelo no

ou psicossoma e na certeza da realidade da vida extracorpórea, do plano do espírito, vemos como a verdadeira natureza do ser humano é quase desconhecida e ainda mal compreendida pelos nossos irmãos cientistas da Crosta, assim como pela grande maioria dos homens.

Embora a associação íntima do perispírito com as funções fisiológicas, esse corpo espiritual — preexistente e sobrevivente à agregação e à desagregação da matéria física — alcançou o seu presente estágio evolutivo, ao longo dos milênios, por razões outras que não apenas as que se relacionam com a manutenção dessas funções puramente materiais e mecânicas do veículo biológico, mas acima de tudo para servir ao espírito em sua experiência evolutiva ao longo dos séculos.

Embora considerando-se o psicossoma como um modelo energético supradimensional, ele não foi gerado pelas células físicas; ao contrário, sendo a matriz, o molde energético de natureza superior, é ele, o perispírito, a sede da consciência eterna, presidindo a formação e a manutenção dos agregados celulares que constituem a indumentária carnal. Assim, ossos, músculos, tecidos vasculares, nervos, cérebro e outros órgãos e substâncias do corpo são todos estruturados conforme o modelo original preexistente: o corpo espiritual.

A nossa insistência[42] em esclarecer a natureza e a realidade desse corpo vem da necessidade de se encarar a pro-

---

que se refere à alimentação, as conseqüências da utilização de substâncias tóxicas, o cuidado com leituras, conversas e formação de hábitos.

O autor espiritual evidencia que, na busca da saúde, não se pode negligenciar nenhum tipo de cuidado com as causas das enfermidades, pois os sintomas nada mais são que conseqüências.

blemática dos estados enfermiços, físicos ou psicológicos num contexto mais amplo, mais abrangente que aquele até então visto de forma puramente material, conforme a visão atual de certos pesquisadores.

Qualquer terapia que não observar a questão do homem de forma integral, mais do que simplesmente um agregado de nervos e músculos, falha em seu tentame, pois o ser, temporariamente envolto no pesado escafandro de carne, existe, apesar dessa aparência física, como originário de dimensões superiores da vida, consistindo o seu corpo espiritual no verdadeiro e eterno veículo de expressão de seu psiquismo mais profundo, de seu espírito imortal.

Conforme falamos alhures, a alimentação perispiritual se exerce através do próprio magnetismo ambiente, absorvido ou eliminado, conforme o caso, de maneira bem semelhante ao processo conhecido na Terra como osmose. O automatismo espiritual, adquirido através de milênios e milênios de experiências, fez com que o perispírito desenvolvesse sua sensibilidade, que lhe faz gravar nas células astrais os acontecimentos vividos pelo espírito.

Eis aí a necessidade imperiosa de um estudo pormenorizado a respeito de nossos comportamentos, atitudes e pensamentos, que, com absoluta certeza, influem, de forma direta e total, nos estados de saúde ou de enfermidade em que se encontra o espírito, pelo que ainda recomendamos a terapia evangélica do amor, do perdão, da vigilância, enfim, do equilíbrio e da harmonia com as leis maiores da vida.

perguntas e respostas

1. Qual a função do DNA, nos casos de enfermidade, levando-se em conta as leis espirituais?

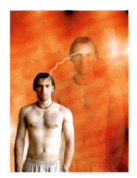

O DNA, descoberto nos estudos de meus irmãos cientistas, veio, a bom tempo, confirmar as leis que regem a vida, descortinadas pela grandeza da doutrina espírita.

Tratando-se de um ácido desoxidado com bases de nitrogênio, em modalidades que se manifestam como adenina, guanina, timina e citosina, contém igualmente fósforo, sob a forma de ácido fosfórico. Essa base de nitrogênio se encontra não somente na formação íntima das células orgânicas, mas igualmente na composição, por assim dizer, mais materializada das células astrais; nesse caso, podemos identificá-la nas moléculas do DNA funcionando como um *programa* cármico-biológico na execução dos registros da vida do espírito, que, no momento adequado, se revelará no corpo físico, através da reencarnação.

Na estrutura do DNA, vão-se gravando as atividades do eu profundo, ou do espírito imortal, naquilo que se destina a se externar, em futuro veículo somático; tais registros determinam as etapas necessárias da saúde ou das enfermidades genéticas, conforme as conquistas ou deficiências adquiridas ao longo da caminhada evolutiva.

As experiências gravadas diariamente nas estruturas sensíveis do DNA se manifestam, mais tarde, em novas encarnações, conforme a intensidade e a constância dos desejos, das emoções e dos pensamentos que aí são registrados pela lei do carma, a qual se revela, através do DNA, de forma inevitável e inflexível.

Pelo estudo e pela compreensão da bioquímica e, especificamente, das pesquisas levadas a efeito a respeito do DNA, meus irmãos poderão entender melhor o funcionamento da lei de ação e reação nos mecanismos da vida, pois cada ser humano plasma, diariamente, por efeito de suas vibrações de harmonia ou desarmonia, o código cifrado de todas as experiências de seu psiquismo, no corpo físico de que se utilizará em próxima reencarnação. Dessa forma, pode-se entender como os conceitos do Evangelho são uma fórmula científica para imprimir nesses núcleos genéticos um programa mais equilibrado para as nossas experiências reencarnatórias. O Evangelho torna-se, assim, uma ciência genética-molecular-espiritual, que nos favorece com formas de interferir na futura programação de nossas vidas.

2. Qual a localização da memória na constituição espiritual, ou melhor, a memória está localizada no perispírito ou no espírito?

Este é um caso que exige raciocínio por parte de meus irmãos. Quando Allan Kardec usou o termo *perispírito* para identificar o corpo espiritual, ele englobou nessa definição o setenário das doutrinas espiritualistas e tornou esse conhecimento de domínio público — o que era, até então, ensinado apenas aos iniciados.

Quanto à localização da memória, podemos dizer que ela se localiza no perispírito, pois, em se tratando do espírito imortal como consciência eterna, vocês não conseguem entendê-lo ainda sem o envoltório do perispírito. Para efeito didático, podemos dizer que a memória é a lembrança de todas as coisas vividas pelo espírito e registradas nas células sensíveis do psicossoma. Logicamente que o histórico de todos os fatos relacionados às diversas etapas da vida do espírito está gravado em sua intimidade, mas é por intermédio do perispírito que se dão tais registros e que poderão estar localizados nas células sensíveis do corpo espiritual, como núcleos de manifestação emocional ou intelectual, conforme a intensidade do fato vivido e a importância dele para a ação da lei do carma. Isso merece ainda estudos mais aprofundados por parte de meus irmãos.

3. *Como se dá o processo de armazenamento ou registro de nossas vivências?*

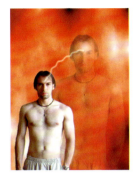

Toda ação realizada no mundo das manifestações físicas ou extrafísicas se traduz como um *quantum* energético, de determinada vibração magnética, conforme a vivência do espírito. Os registros de cada experiência se manifestam como uma potência magnética, de acordo com a vibração peculiar ao ato praticado ou ao pensamento mantido pelo homem em cada fase de sua vida. Como a natureza do corpo espiritual ou psicossoma é essencialmente magnética, revestindo-se de fluidos mais ou menos eterizados, conforme a elevação do espírito, qualquer impressão que lhe atinja as células sensíveis ou os campos de energias eletromagnéticas fica aí gravada de forma automática, como o som e a imagem ficam nas fitas de áudio e vídeo desenvolvidas por meus irmãos. Os componentes mais profundos ou mais intensos dessas vivências são imediatamente transferidos para as vibrações do corpo mental, ficando aí impressos, até que as leis da vida proporcionem ao ser a oportunidade de exteriorização desses registros na vida física ou extrafísica, de acordo com a necessidade evolutiva. O processo é automático.

corpo mental

DENOMINAMOS corpo mental a forma pela qual se expressa o espírito imortal, o eu profundo ou o psiquismo puro, em dimensão superior àquela em que se manifesta o psicossoma. É o corpo ou veículo superior de que se reveste a individualidade eterna e onde se processa o raciocínio puro, elaborado, e de onde procede igualmente a formação dos outros corpos inferiores, através dos quais se manifesta o espírito no mundo das formas.

O corpo mental é a fonte de toda manifestação intelectual do espírito. Os fenômenos da memória, do intelecto e da cognição são aí elaborados pelo espírito, com vistas à manifestação fenomênica no universo, pelos outros corpos de que se reveste. Nesse corpo ou dimensionalidade em que se manifesta o eu mais profundo — ou a *psique* de certas escolas filosóficas ou científicas — são elaboradas as percepções objetivas ou as idéias abstratas, as sínteses e as elucubrações filosóficas do ser eterno.

É na dimensão mental que são registradas as impressões captadas pelo psicossoma e enviadas à intimidade do espírito, ou do espírito para o exterior, impressões essas que se transformam em impulsos elétricos e magnéticos no sistema nervoso.

Enquanto o psicossoma ou perispírito trabalha na área das sensações, das emoções e dos desejos, desenvolvendo a sensibilidade, a plasticidade e outras condições essenciais ao corpo espiritual, o corpo mental reflete atributos mais sutis e elevados do espírito.

Sua estrutura íntima é de natureza vibrátil muito superior à do perispírito, embora suas energias sejam de característica magnética, variando sua freqüência vibracional de acordo com a natureza do pensamento, emitido de forma mais ou menos constante. De certo modo, convencionou-se que o ser humano tem elaborado um pensamento contínuo, enquanto a pesquisa em torno da dimensão mental poderá indicar que existem, ainda, hiatos na suposta continuidade do pensamento humano, como na maioria das criaturas, embora esses hiatos não sejam facilmente perceptíveis por meus irmãos.

Para se ter uma idéia da freqüência vibratória dessa dimensão mental — em que age o corpo de mesmo nome —, podemos tomar como exemplo a emissão de pensamentos elevados, de freqüência vibratória mais alta, que faz com que os átomos mentais ou a *matéria psi*,[43] como foi classificada por meus irmãos encarnados, irradiem-se em freqüências e faixas cada vez mais altas, conforme a harmonia da fonte pensadora. Tais irradiações do ultracampo mental, ou dos átomos de matéria mental, são portadoras de radiações benéficas, construtivas, de cor, forma e cheiro específicos. Por outro lado, quando o pensamento é de natureza energética grosseira, inferior, portador de ódio, inveja, ciúme ou qualquer outra freqüência inferior, a energia dos átomos mentais, desse ultracampo de manifestação do psiquismo, reveste-se de matéria ou massa dos planos inferiores e cai em vibração, alcançando a aura de quantos se afinizem com o energismo grosseiro.

[43] Matéria psi é a denominação dada para a substância que forma os objetos e seres da dimensão extrafísica.
Dessa forma, pode-se entender que pensamento é matéria, formado por partículas com características próprias.

Dessa maneira, o potencial mental de qualquer ser encontra-se intimamente relacionado à qualidade da fonte pensante, sendo impossível dissociar a questão moral do potencial mental, no que se refere à ascese do espírito no universo. Portanto, torna-se fácil compreender o porquê de Jesus haver recomendado a higiene mental, pelo cultivo de bons pensamentos e atos dignificantes. O Evangelho, sempre atual, é um tratado de mentalismo energético para todas as criaturas.

A dimensão[44] onde tem a sua existência o corpo mental está além dos limites espaço-temporais ou mesmo daquilo que meus irmãos encarnados tão comumente descrevem

---

[44] Tradições ocultistas e esoteristas possuem vastos estudos sobre a classificação do universo em dimensões ou "mundos", em geral apontados como sendo sete.
O termo dimensão, aqui, não é empregado no sentido matemático nem físico. Por exemplo: pode-se localizar a posição de um objeto no espaço tridimensional (largura, comprimento e altura) e indicar o instante correspondente. Desse ponto de vista, o tempo é uma quarta "dimensão".

*Figura que representa o corpo mental,
com sua forma ovalada, diferente do
corpo psicossomático, que possui
forma humanóide.*

como sendo as *três dimensões*. Os sensitivos de todas as épocas que puderam vislumbrar algo dos *registros akásicos* ou *akáshicos*[45] — os registros de acontecimentos, forjados na própria luz, no éter cósmico — transpuseram os limites vibratórios das dimensões e, desenvolvendo o corpo mental, puderam ter acesso às impressões, às memórias de todas as coisas, dos acontecimentos. Nesse mecanismo estão baseadas as revelações proféticas de todas as épocas.

Para a manifestação do espírito imortal, existem ainda outros corpos além do corpo ou dimensão mental, os quais já foram classificados por meus irmãos de outras escolas espiritualistas e filosóficas, que os denominam de *setenário*, em sua totalidade. Sem dúvida merecem ser mais pesquisados por aqueles que querem estudar pormenorizadamente essas questões, evitando-se, no entanto, as complicações comuns a certos estudiosos.

Enquanto permanecem meus irmãos no estudo dos fenômenos que têm o perispírito como princípio básico de suas realizações, nós, os desencarnados de minha esfera, estamos estudando igualmente outros campos vibratórios, outras estruturas magnéticas em conjunto com a realidade do corpo espiritual, com vistas a auxiliar meus irmãos. Mesmo para nós, espíritos, permanecem ainda muitas incógnitas a serem decifradas através do estudo constante da ciência universal, e muitos problemas a serem equacionados no grande laboratório vivo do cosmos.

Nos estudos da ciência espiritual, o termo dimensão é empregado no sentido de lugar, mundo, universo paralelo. Estudos rosacrucianos indicam que cada mundo tem uma "medida" diferente, relacionada à sua vibração. No mundo mais denso (o físico), a vibração é diminuta quando comparada à rapidíssima vibração do mundo astral, o mais próximo do físico. Além disso, explicam que "estes mundos não estão separados pelo espaço ou pela distância, como está a Terra dos demais planetas.

perguntas e respostas

1. Se o corpo físico é uma cópia do corpo espiritual ou perispírito, então o corpo espiritual seria uma cópia do corpo mental?

O perispírito é o divino modelo pelo qual é plasmado o corpo somático, que se ajusta à forma preexistente, como num molde. No entanto, o corpo mental se manifesta, no plano em que se movimenta, mais ou menos semelhante à forma ovóide, sem ser apreciável aos sentidos humanos como parecido com o corpo físico. O corpo mental preside ao modelo diretor, que é o perispírito. As células astrais desse corpo espiritual são organizadas de acordo com o padrão que foi impresso na intimidade do campo mental pelos prepostos de Jesus, quando a mônada divina alcançou a iluminação pela razão, nos milênios que presidiram a evolução do homem, sob o divino impulso do Cristo.

2. O corpo mental possui órgãos?

O corpo mental tem a forma ovóide e não possui órgãos, como o perispírito ou o corpo físico, sendo que ele é a fonte sublime de todo o energismo que orienta as manifestações no mundo das formas. O corpo mental existe e atua em dimensão diferente daquela em que se expressam os outros corpos, considerados inferiores; ele pertence ao mundo das causas, e não à esfera onde se expressa a forma.

3. O corpo mental pode ser dissociado do perispírito, como este pode ser dissociado do corpo físico, para efeito de estudos?

O corpo mental só pode se deslocar dos limites magnéticos do corpo perispiritual naqueles que alcançaram determinada evolução consciencial, pois que nem todos têm ao menos consciência de sua existência ou dos mecanismos através dos quais se manifesta. Os profetas antigos, alguns iniciados e médiuns encarnados têm conseguido, em de-

---

São estados de matéria, de distinta densidade e vibração, tal como são os sólidos, os líquidos e os gases do nosso mundo físico". Eles se interpenetram.

Os estudiosos dos ensinamentos da Grande Fraternidade Branca, por exemplo, dividem essas sete dimensões da realidade em: 1) plano físico; 2) plano astral; 3) plano mental; 4) plano búdico; 5) plano átmico; 6) plano monádico; 7) plano logóico.

45 *Akasha* (pronuncia-se *akásha*), palavra sânscrita, de gênero masculino, quer dizer espaço, éter. Os registros *akáshicos* são os registros da vida impressos no plano etérico; o livro da vida.

terminadas condições, projetar-se mentalmente em outras dimensões ou planos existenciais onde possam se movimentar em corpo mental, livres de quaisquer limitações da forma, num plano de idéias e pensamentos abstratos ou concretos, mas sob o domínio do corpo mental. O desencarnado, quando alcança certo esclarecimento, ou quando necessita de aprendizado em planos superiores ao que se encontra, muitas vezes é desdobrado em corpo mental, deixando o seu perispírito e projetando-se além, em outros campos vibratórios,[46] retomando-o depois, como acontece com meus irmãos durante o sono físico e após, ao retomar o veículo denso da carne. Outros casos existem, mas que fogem ao objetivo da obra e não atendem à necessidade da pergunta de meus irmãos.

46 Uma das passagens mais consagradas na literatura espírita que atestam a existência do corpo mental encontra-se em *Nosso lar,* de Chico Xavier pelo espírito André Luiz (cap. 36: *O sonho*). O texto descreve o momento em que o protagonista-narrador, um desencarnado, necessita entrar em estado de relaxamento e conseqüente desdobramento para que possa rever sua mãe, mesmo estando ambos na dimensão extrafísica. Isso ocorre porque ela habitava região bem superior à dele, ou seja, achava-se em vibração compatível com o corpo mental do filho, e não com seu perispírito.

CAPÍTULO 8

reflexos da mente

Os MECANISMOS da mente são, muitas vezes, difíceis de entender sem as luzes do conhecimento das leis que regem o mundo das causas, o mundo oculto ou espiritual.

Tomando como base a existência desse mundo do imponderável, além das dimensões cartesianas, onde a mente tem sua manifestação como exteriorização do potencial do espírito, podemos avaliar alguns quadros da problemática humana, considerados complexos devido ao desconhecimento de leis universais, que orientam os destinos dos homens e de sua vida psíquica.

Muitos irmãos, ao vivenciarem estados infelizes em seu passado espiritual, quando pelos seus atos feriram deliberadamente a vida do próximo, com escolhas que desafiaram a lei divina, intentaram esconder o ato infeliz, alojando suas lembranças nas zonas mais profundas do psiquismo. Porém, os reflexos de suas ações se mostram pelo remorso, que remoem em seu íntimo, ou em outras fases do pensamento doentio, sabendo que não podem enganar os postulados da divina lei.

Esses reveses do passado, ao emergirem da subconsciência mental, manifestam-se nas psicoses, nas neuroses e em muitos casos de esquizofrenia, que são diagnosticados por meus irmãos, profissionais da área correspondente da ciência terrena.

Sendo assim, temos os casos mais graves das manifestações mórbidas da psique como originárias de causas pretéritas, passíveis de reajuste através da reforma dos padrões mentais e dos conceitos e vivências morais da própria fonte geradora do desajuste.

Muitos traumas, fobias, esquizofrenias e manifestações de quadros psicóticos ou paranóicos podem guardar suas raízes em situações vivenciadas no passado e relegadas ao esquecimento nas regiões mais profundas da mente, embora se mantenham vívidas nas delicadas células do corpo espiritual e nas estruturas mais íntimas da tela mental. Tais situações podem, no momento oportuno, emergir das zonas do inconsciente, para efeito do reajuste de contas ante a soberana lei da vida, transformando a casa mental do indivíduo num campo de lutas íntimas a se expressarem de formas desequilibradas, conforme a cobrança da própria consciência.

Ante o crime perpetrado no pretérito, o homem tenta ludibriar as leis humanas, escondendo a ação infeliz ou furtando-se a assumir o compromisso inerente à responsabilidade do ato praticado, esquecendo-se de que, embora seja ainda possível ficar livre da legislação humana, de maneira nenhuma conseguirá iludir sua consciência, onde está escrita eternamente a lei de Deus. Na hora exata em que soar a ampulheta do tempo, essa mesma lei proporcionará ao delinquente a oportunidade de ressarcir seu débito, e, a fim de despertá-lo para a necessidade de reajuste, muitas vezes lança mão do instrumental cirúrgico da dor, que não encontra barreiras sociais, raciais ou ideológicas para usar o bisturi do sofrimento, mostrando ao espírito que é chegada a hora do acerto de contas.

O passado emerge então das profundezas da memória, nesta ou em outra reencarnação, justificando o aforismo popular de que a dívida sempre acompanha o devedor. Mas, graças à luz imortal que a doutrina espírita desdobra para o conhecimento do homem terrestre, pode-se entender que a forma de resgatar esse passado, nem sempre florido, é pela vivência profunda do amor, que liberta a alma dos grilhões que a mantêm presa às dificuldades de uma existência infeliz.

Só o amor nos liberta de nossa própria consciência culpada.

A terapia espírita prescreve, para esses casos, a profunda

Mãos invisíveis orientam o ser humano no estudo cujo objetivo é o crescimento do ser. Pela intuição, a pessoa é levada ao encontro das respostas que procura.

150 MEDICINA DA ALMA

transformação da conduta moral e a reeducação dos impulsos e sentimentos da alma.

Para que tal se dê, no entanto, é necessário precaver-nos contra os arroubos de atitudes místicas, que, de vez em quando, se observam naqueles que querem colaborar com a solução de delicados problemas da alma. Embora guardem a pretensão de ajudar, poderão agravar o problema quando prescrevem determinada transformação rápida e radical de homens em anjos, podando as manifestações da alma humana num desejo febril de que se auto-santifiquem, gerando outros males, que poderão até passar despercebidos da maioria, que vê apenas as aparências.

A proposta da doutrina espírita é a de uma ética cristã, de uma moral cósmica. Apenas a proibição ou inibição deste ou daquele aspecto do comportamento humano não modifica as causas subjetivas, as raízes mais profundas da problemática do ser.

Aqueles que assim incentivam essa reforma exterior nos comportamentos humanos incentivam igualmente o aparecimento de uma classe de religiosismo místico que produzirá, com o tempo, pessoas cheias de traumas, conflitos íntimos e existenciais, que, na primeira pressão exercida por circunstâncias adversas da vida, explodirão em arrojos de desequilíbrios psicológicos, pois a mudança foi apenas comportamental, e não causal, uma mudança nas aparências, e não na fonte, o que não significa resolução do problema humano.

[47] A afirmação de Joseph Gleber está em consonância com postulações de todas as épocas, uma tradição que passa por Sócrates e Jesus Cristo, Rousseau e Pestalozzi, Freud e Daniel Goleman, entre muitos outros estudiosos, filósofos, psicólogos, educadores, psicanalistas de variadas culturas e épocas. É preocupante que, apesar desse legado, igrejas e movimentos religiosos — inserindo-se nesse rol certa militância dentro do movimento espírita — insistem em adotar "métodos" de contenção, castração e repressão de emoções e comportamentos, confundindo essa prática com a cura. Lamentavelmente, o que fazem nada mais é que incentivar pessoas a adotar máscaras de santificação, o que, conforme Joseph Gleber aponta, contribui para criar conflitos e traumas, e não para solucionar problemas.

A proposta espírita é educativa, não no sentido vulgar de educação como modelagem do indivíduo. É educativa no sentido de auxiliá-lo a conhecer-se para transformar-se rumo à maturidade, realizar-

A doutrina dos Imortais faz a proposta do autoconhecimento, para que o homem possa mergulhar na sua própria intimidade, autodescobrindo-se. De posse desse conhecimento de sua própria situação, da realidade de sua própria vida, poderá então reeducar seus impulsos, com conhecimento de causa, promovendo o reajustamento e o redirecionamento de suas energias, a revisão de seus valores, baseado em fatores reais, conquistas graduais e realizações corretamente orientadas, evitando, assim, cair nos despenhadeiros dos desajustes psicológicos ou emocionais, característica de muitos que se enganam com fórmulas santificacionistas inúteis.

A proposta é redirecionar, reeducar os impulsos; é orientar[47] as potências da alma — e não contê-las, podando-as de forma a criar indivíduos incapacitados emocionalmente para assumir suas responsabilidades nas tarefas que a vida lhes reserva no palco das encarnações planetárias. Essa proposta, feita pela doutrina dos Imortais, é a única capaz de sanar os problemas da alma, de eliminar os desequilíbrios psíquicos do ser humano, pois que traz o selo da lógica da realidade existencial do espírito como base para se trabalhar com as manifestações da mente.

Autoconhecimento orientado pela doutrina dos espíritos é uma proposta de holoconhecimento, de integração com o próprio universo, de valorização do eu profundo, do psiquismo, das experiências da vida e do redirecionamento

---

se como filho de Deus, desenvolvendo potenciais e utilizando suas energias para ser feliz.
Não existe ética sem que o indivíduo cultive a reflexão que conduz à decisão responsável. Ou seja: um comportamento que não leva em conta uma decisão o mais possível madura, baseada em reflexão, para que o indivíduo possa responder pelo que faz, não é ético. É apenas cópia de algo: do discurso do pastor, do espírito ou do médium; do que foi dito em algum livro tido como exemplar.

152 MEDICINA DA ALMA

consciente dessas potências, até então mal orientadas, para a harmonia com o todo, com a vida.

Essa proposta reflete uma cirurgia da alma, pois se utiliza do bisturi do conhecimento para promover uma cirurgia nos estados íntimos, nos núcleos de experiências pretéritas, que só serão resolvidos com a reprogramação dos impulsos, sentimentos e emoções pela terapia do auto-amor.

perguntas e respostas

1. Poderia discorrer mais a respeito do "tratamento de choque" mencionado, representado pelos métodos da medicina convencional?

É muito comum ver o sofrimento de companheiros nos leitos de hospitais ou clínicas variadas, sofrendo as picadas das agulhas, as cirurgias dolorosas, as quimioterapias, os tratamentos de hemodiálise ou outros métodos desenvolvidos pela ciência para o tratamento de meus irmãos. Mas, nesses leitos de dor, ou nos processos sofridos enfrentados no dia-a-dia, vemos muitos carrascos e verdugos do passado, sofrendo os impositivos da lei de causa e efeito, quando trazem o seu corpo dilacerado pelo bisturi, seus membros rasgados pelas injeções ou seu corpo violentado pelos processos de tratamento considerados modernos, que atuam em si tais quais os instrumentos de tortura lhes serviam no passado, promovendo a dor e o sofrimento em seus irmãos de humanidade. Eis um tipo de tratamento de choque, como exemplo, para meus irmãos.

2. O que o companheiro pode nos dizer a respeito do poder da mente para combater os males do corpo?

A mente é a base de tudo. Mas convém não inventar

De qualquer modo, não é produzido pela verdade do indivíduo e, portanto, não contribuirá para sua cura. A "mudança" baseada em repressão de impulsos não tem condições de subsistir diante dos desafios cotidianos, que exigem de nós maturidade e firme decisão. A casa que não foi edificada sobre a pedra ruirá. Conhecendo-se, o indivíduo poderá identificar a causa, na maior parte das vezes, inconsciente de seus comportamentos, de suas emoções. Conseqüentemente, poderá refletir

formulas mágicas que possam complicar ainda mais o pensamento de meus irmãos.

Em estudos mais aprofundados, poderão observar que a mente possui poder de plasmar aquilo que pensa, de acordo com a intensidade e a força da vontade geradora. Baseado nisso, é lógico raciocinar que, mantendo-se um padrão mental superior, alimentando-se a mente com pensamentos elevados, de saúde, equilíbrio, otimismo e segurança, naturalmente as forças psíquicas moldarão o estado compatível com a qualidade do pensamento que abriga, entendendo-se, entretanto, que a mente não é nenhuma cartola mágica, de onde se tiram constantemente soluções mirabolantes para males que muitas vezes guardam sua gênese em vivências passadas. Tudo deve ser visto com equilíbrio.

3. De que modo a depressão, as fobias e angústias podem surgir em nosso íntimo, para se manifestarem como enfermidades físicas?

Meus irmãos não ignoram a realidade de que tudo no universo representa determinada forma de energia. Dessa maneira, os pensamentos, as emoções, as angústias, os traumas e outros conflitos de natureza emocional se traduzem por uma vibração energética que influi, de maneira intensa, no magnetismo peculiar das células físicas, através dos chacras, localizados no duplo etérico; encontram, naqueles estados psíquicos, o clima adequado para *despejar*, no veículo somático, os resíduos psíquicos, que se manifestam em enfermidades variadas. O método disponível para se evitar tal problemática é manter-se ocupado, a mente e o corpo, com atividades úteis e nobres, acalentando o equilíbrio e o otimismo em todas as situações da vida, a fim de desenvolver um clima mental superior, que faculte o estabelecimento de um estado saudável.

sobre os valores que estão por trás de sua forma de agir e poderá revê-los, atualizá-los. As potências da alma serão, dessa forma, reorientadas, já que a energia é neutra, não é nem boa nem ruim. A utilização dessa energia, de acordo com os valores que gestamos ao longo das reencarnações, é que dará a cor de nossas atitudes.

154   MEDICINA DA ALMA

aura: as irradiações da alma humana

Todos os corpos existentes no universo, sem exceção — desde aqueles que são conhecidos do homem na Terra até aquelas formas ainda por ele ignoradas, em todo ser em que palpite a alma da vida, o princípio inteligente ou a consciência, em qualquer fase de evolução —, irradiam uma atmosfera fluídica em volta de suas próprias individualidades, caracterizada por uma rica variedade policrômica, com cambiantes que variam intensamente, constituídos de irradiações das diversas camadas do corpo espiritual ou psicossoma.

Conhecidas com o nome de aura, essas irradiações são, por assim dizer, a marca ou o selo do espírito. Por isso é que se torna impossível esconder cada um seus sentimentos e suas qualidades, por se acharem expressos nas variadas camadas áuricas e patentes à visão dos espíritos esclarecidos. Além disso, normalmente acessível à sensibilidade dos videntes, pode-se percebê-la através de alguns métodos desenvolvidos para o estudo de suas vibrações.

A aura constitui-se também num reflexo natural da consciência espiritual, estampando através de suas combinações de cores as manifestações de espiritualidade ou as degradantes imagens da perversão do ser. Durante as vivências do espírito, espelham-se, nas irradiações da aura, todos os seus vícios ou virtudes adquiridos ao longo da sua jornada evolutiva, inscrevendo-se, nas células sutilíssimas do perispírito, tanto as nobres e elevadas vibrações de altruísmo quanto as mais negras e abjetas manifestações de um caráter doentio e pecaminoso.[48]

O psiquismo em evolução, através das diversas exteriorizações no mundo fenomênico das formas, emite, pelas suas vibrações, essa atmosfera mais ou menos sutil, que impregna o éter cósmico com as suas peculiaridades; constitui isso um registro de toda a vida, pelo qual os espíritos superiores têm acesso ao passado espiritual, como numa fita magnética de alto potencial de registros.

Através do estudo das energias da aura, nossos irmãos podem obter mais detalhes a respeito das formas-pensamento, das criações fluídicas e dos clichês mentais, podendo esse estudo contribuir grandemente para a medicina do futuro, quando os homens de ciência utilizarem o elemento psíquico como fonte de diagnóstico ou como objeto dos

[48] *Pecado* é um termo usado geralmente em contexto religioso, descrevendo qualquer desobediência à vontade de Deus, expressa em suas leis. A palavra se origina do grego *hamartía*, que significa *erro*, no sentido de errar ao tentar atingir um alvo.

A palavra foi usada também por Aristóteles, em sua *Poética*, no estudo da literatura, mais especificamente da *tragédia*. Na tragédia grega, *hamartía* é um erro de julgamento do herói que leva a uma catástrofe; o personagem age visando a um objetivo, mas erra o alvo, transgredindo certas regras.

No nosso contexto, não vamos entender pecado ao gosto das igrejas, emitindo julgamento de valor sobre o que consideraríamos uma falta. Preferimos compreender pecado como erro de juízo, muitas vezes devido à imaturidade existencial, que leva os indivíduos a, não raro, deliberar contra a própria vida, nos pequenos atos cotidianos. Assim, podemos entender como pecado os pensamentos, atos, omissões que contrariem o equilíbrio, a harmonia, que lesem a consciência alheia ou a própria, que nos afastem do caminho da felicidade.

tratamentos que se realizarão em bases energéticas.

A fotosfera iridescente que circunda o organismo humano se constitui de elementos psíquicos e etéricos, e manifesta-se a partir de processos intra-atômicos, desenvolvidos na intimidade das células astrais que compõem o psicossoma. Portanto, a aura torna-se a manifestação anímica do espírito, que se mostra em maravilhoso policromismo para expressar sua elevação ou sua embrionária condição evolutiva. Em sua variada coloração e em seus efeitos rutilantes, conseguimos identificar o espírito pela aura, em qualquer lugar em que se localize no infinito da criação.

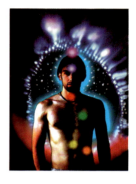

O estudo das energias da aura é por demais importante para que dele se descuide. Aquele que se interessa pelo estudo das manifestações psíquicas deveria ampliar mais seu conhecimento a respeito dessas energias, que fornecem a identificação segura dos seres que habitam os dois planos da vida.

Lamentavelmente, os nossos companheiros espiritistas e espiritualistas, de um modo geral, trocaram o maravilhoso laboratório da ciência experimental pelas interpretações místicas dos fenômenos, acomodando-se com as conquistas já realizadas no passado por eminentes pesquisadores, talvez julgando haverem esgotado o material de pesquisa, o que os faz se perder nos labirintos sombrios da ignorância e do misticismo. Acontece com freqüência, por exemplo, de pseudomédiuns videntes que presumem ver as irradiações da

Aura em desequilíbrio intenso, cujos reflexos
foram captados através da bioeletrografia.
As aberturas na chamada corona da aura
devem-se a conflitos emocionais intensos;
as luzes brancas indicam a presença de
parasitas energéticos, que, lentamente,
minam as defesas imunológicas da aura.
Este indivíduo por certo se apresenta
completamente desvitalizado.
[Foto kirlian: Robson Pinheiro.]

aura emitirem sua interpretação pessoal, mística e sem bases científicas, a respeito de algo de que pouco se conhece, mesmo na teoria.

Por meio do estudo sério e metódico sobre as energias da aura, poderão meus irmãos, no futuro, detectar tanto os desequilíbrios psíquicos, emocionais ou físicos, quanto os estados superiores da consciência. Estados alterados de consciência ou simples enfermidades no veículo periférico de manifestação, o corpo físico, são igualmente perceptíveis pela aura que se irradia de cada um, cabendo, no entanto, aos meus irmãos se dedicarem mais intensamente ao seu estudo e entendimento.

É interessante que desenvolvam métodos de análise e de experimentação, a fim de descobrirem as leis que regulam a fenomenologia psicoenergética. Nos tempos atuais, quando a ciência espírita está definitivamente estabelecida sobre o alicerce inamovível de seus postulados, impõe-se a cada um o dever de divulgar os fatos sobejamente provados e catalogados a respeito das manifestações da alma, preparando o homem para a sua integração cósmica na realidade da vida.

perguntas e respostas

1. Nos trabalhos de pintura mediúnica, dizem que os pintores realizam curas através das cores empregadas nas telas; o que diz o irmão?

Ledo engano. Não basta que um espírito se manifeste

através da pintura mediúnica para que ele seja conhecedor do energismo das cores. Para isso, é necessário que, na espiritualidade, seja um profundo pesquisador dessa área. Na maioria das vezes, o pintor desencarnado só conhece mesmo é da mistura das tintas e do uso dos pincéis, sem ter a mínima noção de qualquer influência da cor. São pintores, e não estudantes de cromosofia. O que esperam deles? Existe, sim, um certo misticismo desenvolvido a respeito do assunto, por médiuns e dirigentes de reuniões mediúnicas que tentam transmitir a idéia de que certos espíritos, que por eles se manifestam, têm certos conhecimentos que nem eles reconhecem possuir. É o desejo humano de aparecer e de dizer que algo diferente acontece com a sua mediunidade. Aí, mascaram-se de toda sorte de artificialismos que enganam aqueles que não gostam de estudar e se comprazem nas explicações baratas e descabidas de médiuns e espíritos irresponsáveis.

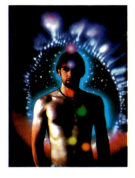

2. Quer dizer que, nesses trabalhos de pintura, os artistas desencarnados não realizam outra coisa que não a demonstração de sua arte póstuma?

O assunto é por demais complexo para que se esgote nestas páginas que trazemos aos meus irmãos. Mas podemos afirmar que existem outras equipes com conhecimento especializado, que trabalham numa sessão mediúnica e que podem se utilizar de inúmeros recursos para o auxílio aos necessitados. Em muitos casos, os espíritos que se utilizam da mediunidade para demonstrar sua sobrevivência após a desagregação celular continuam com seus problemas sem solucionar e presos a dificuldades que trouxeram da vida física, dos quais ainda não conseguiram se libertar. Malgrado as opiniões de alguns médiuns ou orientadores, eles necessitam desse trabalho como uma terapia, para externarem suas ânsias, dificuldades íntimas e angústias que ainda trazem impressas em seu psiquismo, mesmo após o decesso físico. Não são santos nem anjos, são apenas espíritos de seres humanos que têm suas limitações e, como muitos, precisam da caridade de médiuns abnegados, a fim de se exprimirem da forma que lhes convém, sem, contudo, deterem nenhum conhecimento específico ou força mágica que resolva os problemas de meus irmãos.

3. Nesse caso, como devemos ver os conselhos de alguns médiuns ou espíritos, que dizem que este ou aquele quadro, pintado pelos espíritos, deve ser colocado na parede para energizar o ambiente e que são feitos para a cura de alguns companheiros?

Se tal opinião partir de pessoa séria, altamente comprometida com as questões doutrinárias, podemos pensar que se trata de falta de estudo ou de orientação correta, pois muitos assim falam sem conhecimento fundo do assunto e para evitar inconvenientes, o que acaba sendo mais lamentável ainda. Outros fazem tais afirmações por excesso de misticismo e por se deixarem conduzir por espíritos ignorantes, além de desconhecerem a lógica e o bom senso dos postulados espíritas. Em qualquer caso, é bom que se estude mais Kardec, pois apenas substituem os populares santinhos e altares da antiga igreja por quadrinhos ou pinturas mediúnicas, que, se colocados na parede, dizem, trazem certos benefícios para os moradores. Continua sendo misticismo, só que muito mais sério, pois que compromete o caráter do espiritismo e da mediunidade.

A pintura, como qualquer outra expressão da mediunidade, é uma forma de demonstrar a sobrevivência do espírito, sua imortalidade e influência no mundo corpóreo. Por isso mesmo, deve ser amparada em suas manifestações, sempre sob a orientação lógica e coerente da doutrina espírita.

Deixemos aos especialistas do Além as tarefas relativas à cura ou ao tratamento espiritual. Juntamente com a tarefa de pintura ou outra modalidade mediúnica, trabalham diversas equipes de espíritos, que, no presente caso, podem ser aqueles que se comprometeram com a ciência médica espiritual e, no momento em que os artistas realizam sua atividade psicopictográfica, utilizam-se de elementos fluídicos fornecidos pelos companheiros encarnados e de várias outras partes da natureza, a fim de ministrarem o socorro necessário a quem dele precise.

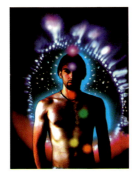

O trabalho é por demais amplo, e, como somos várias equipes espirituais, unimo-nos sob a orientação do Alto para atingirmos uma finalidade comum. Assim como nós não sabemos utilizar tintas ou pincéis para realizar alguma demonstração artística, igualmente os artistas, em sua grande maioria, não têm noções a respeito de terapias alternativas que possam beneficiar meus irmãos. Muitos são mais necessitados do que vocês.

E, assim, cada equipe irá realizando a sua atividade, auxiliada por outras. A menos que o espírito tenha alguma experiência na área da ciência médica, qualquer indicação nesse sentido poderá ser questionada, o que é aconselhado pelo insigne codificador da Doutrina, pois em questões espirituais não devemos aceitar informações sem base séria, ou sem pesquisa que satisfaça a razão e o bom senso.

CAPÍTULO 10

tratamento espiritual: reuniões especializadas

EMBORA OS bons espíritos promovam sua ação benfazeja em diversas épocas e lugares, procurando levar o lenitivo a seus irmãos encarnados, e para isso recolham os recursos naturais do grande laboratório vivo da natureza, é no ambiente espiritual de uma casa espírita, onde os trabalhadores se harmonizam pelos seus pensamentos e pelo estudo das leis da vida, que mais recursos podem empregar em benefício dos irmãos sofredores, nos dois planos da vida.

No início do movimento espírita, e mesmo na atualidade, em alguns casos, as reuniões de materialização eram realizadas com o objetivo de pesquisar, enquanto outras eram realizadas visando à cura e às cirurgias mediúnicas. Esse tipo de tratamento, em que entidades abnegadas se submetem ao contato direto com fluidos ectoplásmicos oferecidos pelos médiuns, tende a diminuir, em vista de métodos mais sutis de tratamento espiritual.

A propósito, se tais intervenções mediúnicas têm produzido, ao longo do tempo, alguns benefícios a um número razoável de pessoas, é claro que esse tipo de cura não se constitui no objetivo real do espiritismo. Quando falamos aos meus irmãos a respeito de tratamento espiritual ou de cura, entendemos com isso a recuperação moral do indivíduo, seu reequilíbrio espiritual. O grande objetivo dos espíritos superiores é a elevação moral do ser humano.

As intervenções por meio de uma atuação mais direta no mundo das formas poderão até ocorrer, mas visando abalar as convicções materialistas dos pretensos sábios, despertando-os para a vida espiritual e para as responsabilidades que advêm dessa realidade.

Os trabalhos de materialização que, em certo tempo, ocorriam com alguma freqüência foram lentamente diminuídos, devido também à ação irresponsável e mistificadora de muitos médiuns. Utilizando-se de recursos criados por eles mesmos, e desejosos de serem reconhecidos como médiuns de materialização, conseguiram, com sua conduta, macular a imagem do fenômeno mediúnico, que erroneamente é confundido com a própria essência da Doutrina.

Igualmente observamos, de forma lamentável, o despreparo de muitos dirigentes espíritas da atualidade, que vivem criando pretensas reuniões de materialização e cura, sob a orientação de pseudomentores, sem, contudo, haver algo

[49] *Método científico de pesquisa* não significa medir ou quantificar fenômenos. O que Joseph Gleber recomenda não é, portanto, inserir o espiritismo no domínio das ciências acadêmicas (química, física ou biologia), como tantos indivíduos e instituições espíritas têm se empenhado em fazer, para, segundo dizem, dar "fundamentação científica à Doutrina". É o próprio Kardec que explicita, na *Introdução ao estudo da doutrina espírita*, que abre *O livro dos espíritos*: "As ciências ordinárias assentam nas propriedades da matéria, que se pode experimentar e manipular livremente; os fenômenos espíritas repousam na ação de inteligências dotadas de vontade própria e que nos provam a cada instante não se acharem subordinadas aos nossos caprichos. As observações não podem, portanto, ser feitas de mesma forma; requerem condições especiais e outro ponto de partida. Querer submetê-la aos processos comuns de investigações é estabelecer analogias que não existem".

Kardec já apontava o caráter científico da doutrina espírita; porém, localizava esse caráter na parte filosófica, e não nos fenômenos, demonstrando que já entendia o papel da teoria como dando coesão,

de realmente produtivo em suas realizações.

Criou-se um misticismo exagerado a respeito do assunto, por falta do método científico de pesquisa.[49] Basta alguém ou algum espírito falar da necessidade de utilizar ectoplasma para determinado trabalho e logo tem início um triste espetáculo teatral, representado por dirigentes e médiuns mal-informados, no constante abrir de boca e na salivação exagerada e forçada, como se tentando convencer alguém de que estão exsudando o ectoplasma do qual os espíritos se utilizarão para o suposto trabalho. Felizmente, o ridículo a que se expõem alguns desses irmãos fica restrito aos limites físicos das casas espíritas onde, em muitos casos, o misticismo substituiu, há muito, as pesquisas científicas sérias e bem orientadas e onde a imaginação e o orgulho, a hipocrisia e a mistificação de pseudoguias substituíram a presença dos verdadeiros mentores e orientadores espirituais, bem como o estudo sério e aprofundado das obras do insigne codificador, Allan Kardec.

Quando companheiros necessitados aportam em algumas casas espíritas, muitas vezes precisando de um ombro amigo, de consolo ou de orientação psicológica ou espiritual, são imediatamente conduzidos a tratamentos de desobsessão ou reuniões de cura — quando não são tratados como portadores de mediunidade —, iniciando aí uma longa caminhada espiritual cheia de equívocos, devido ao despreparo, à falta de estudos e à irresponsabilidade de

---

inteligibilidade aos fenômenos, antecipando as descobertas da moderna filosofia da ciência.

Para realizar o que propõe Joseph Gleber basta repetir os passos de Kardec: em vez de descartar o passatempo das mesas girantes, ou de se deslumbrar com ele e encará-lo de forma mística, ele continuou a observar o fenômeno, encontrando ali a chave de uma nova doutrina.

A utilização do método científico de pesquisa compreende observação, registro, busca de infor-

168 MEDICINA DA ALMA

dirigentes e médiuns que se julgam donos da verdade.

É necessário kardequisar os arraiais espiritistas, adotan-do métodos científicos de estudo, observação e pesquisa, abdicando dos *achismos* e voltando ao uso seguro da razão e do bom senso.

As reuniões que muitas vezes visitamos se encontram cheias de elementos humanos que distorceram os princípios espirituais da Revelação espírita. Quantas vezes presenciamos informações desencontradas, mostrando o completo e lamentável desconhecimento das leis dos fluidos, de causa e efeito e dos demais princípios fundamentais da nossa Doutrina, necessitando-se urgentemente retornar ao estudo dos livros básicos da Codificação.

Embora as dificuldades que nós, os desencarnados, encontramos, como resultado do despreparo de muitos irmãos, mesmo assim utilizamos os elementos de que dispomos, conforme a urgência do caso o exija, mas esperamos igualmente que os pretensos seguidores da Doutrina consoladora possam iluminar suas consciências com o estudo sério e o preparo moral que os habilitem a trabalhar como auxiliares conscientes e mais eficazes dos espíritos do Senhor.

Nas reuniões sérias, realizadas com objetivos elevados e sem mistificação, utilizamos de recursos ectoplásmicos, doados pelos médiuns para as intervenções cirúrgicas realizadas no duplo etérico ou no corpo físico, quando ne-

---

mações, criação de hipóteses, experimentação, discussão, comparação e conclusão. *Tudo* deve ser avaliado e testado, e não aceito como dogma, por fé em quem quer que seja, não raro em falsos mentores. Deve haver o compromisso com o uso da razão crítica: propor hipóteses e testar o funcionamento delas. Os fatos precisam ser explicados por uma teoria coesa, que lhes dará "sanção racional", expressão utilizada pelo Codificador no parágrafo 29 de *O livro dos médiuns*.

cessárias e quando o passado espiritual dos nossos irmãos assim o permitir, sempre obedecendo à lei cármica. Tais intervenções têm por objetivo proporcionar oportunidade a nossos irmãos, que assim forem beneficiados, de se refazerem moralmente, iluminando-se pelo conhecimento espiritual.

Segundo o conceito espiritual, toda criatura que guarde em sua intimidade algum desequilíbrio é por isso mesmo um enfermo da alma. Desse modo, pode-se considerar que todos somos necessitados da terapêutica evangélica para nos reequilibrarmos intimamente. Os tratamentos em nível espiritual que não visem ao restabelecimento íntimo, moral ou espiritual do ser humano colocam-se em posição contrária aos objetivos dos espíritos superiores, dos imortais que orientam os destinos de todos nós.

Tentar a promoção de médiuns, dirigentes ou agrupamentos espíritas sob o patrocínio de curas, receituários e cirurgias espirituais foge completamente ao objetivo da doutrina espírita. Embora soe estranho aos ouvidos de meus irmãos, a reunião de tratamento espiritual que mais aconselhamos para qualquer enfermo é a reunião de estudos do Evangelho, ou aquela em que o Evangelho é a temática principal e a Doutrina é estudada com seriedade; na qual o misticismo[50] é abolido e impera o espírito sério, coerente e racional.

---

[50] Entende-se aqui por *misticismo* a prática de fundamentar algo em crenças, e não na razão e no bom senso. Não se enxergue nenhum tipo de crítica aos místicos de todos os tempos, como João da Cruz ou Teresa d'Ávila, ou ao misticismo entendido como experiência pessoal de relação ou comunhão com Deus, o que pertence à esfera do sentimento e da intuição.

*Passe magnético com dupla dispersão, nos
chacras e no sistema nervoso central.*

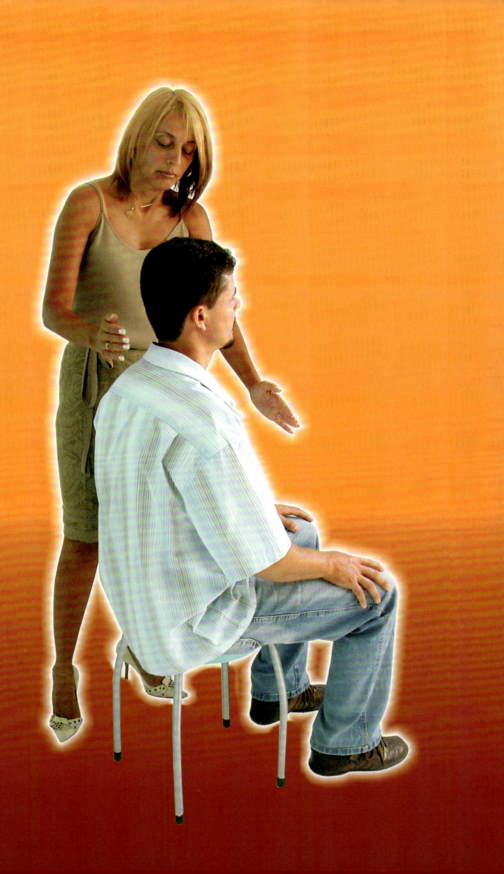

perguntas e respostas

1. No que se refere à fluidificação das águas, muitos irmãos, no movimento espírita, falam que a água gelada não poderá reter os fluidos transmitidos pelos espíritos, razão pela qual aconselham que a água não poderá ser gelada para o trabalho de magnetização ou fluidificação. O que o amigo espiritual nos diz a respeito?

> Ignorância das leis espirituais, falta de estudo dos médiuns, dos dirigentes e até dos espíritos que aconselham tais absurdos. O excesso de misticismo e desejo de parecer diferente e cheio de suposta sabedoria faz com que se receitem coisas ridículas, que mais tarde se tornam pedra de tropeço para eles próprios. Estudem mais a Codificação.

2. Como o magnetismo atua na composição química da água, quando esta é magnetizada por um médium?

> O magnetismo é um fenômeno universal, que, ao ser utilizado pelo magnetizador, em determinada intensidade, poderá promover a precipitação de ondas magnéticas na água, alterando suas estruturas moleculares, modificando a carga de átomos, aumentando os íons e alterando a velocidade e direção dos elétrons, fazendo com que aquele que recebe os benefícios da água magnetizada receba igualmente maior intensidade energética através dos átomos de oxigênio encontrados na água. Quando a água é ingerida sob a ação do magnetismo curador, os fluidos vitais são acrescidos da vibração magnética específica, desobstruindo os canais por onde circula o prana ou fluido divino, acelerando o fluxo dos fluidos vitalizantes que irrigam o organismo físico e o duplo etérico.

> O resultado é logo sentido no aumento do padrão vibratório da parte onde se encontram as carências magnéticas, acelerando-se igualmente o efeito de medicamentos de que porventura os irmãos estejam se utilizando e a natural

recuperação do enfermo. Mas esses recursos só são eficazes à medida que aquele que recebe a energia magnética se dedicar ao crescimento interior, pela reeducação dos impulsos da alma, pela mudança de vida e elevação moral, únicos meios que conhecemos para reter eficazmente os recursos que são ministrados do Alto.

3. *Qual deve ser a preparação ideal para que o médium participe de uma reunião de tratamento espiritual?*

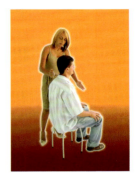

Isso depende do caráter da reunião. Quando se trata de trabalhar com ectoplasmia de maneira mais intensa, é aconselhável que os médiuns, além de se prepararem mentalmente, com pensamentos elevados, como se espera normalmente de cada um, se abstenham de relações sexuais e do uso de condimentos e carnes nos momentos que antecedem à reunião. Mas o verdadeiro preparo, que supera todos os demais cuidados, ainda é o preparo moral, a elevação dos pensamentos e o desejo sincero de servir. Conforme a reunião ou o tipo de fluido que será manipulado, os mentores responsáveis darão a devida orientação, devendo cada um se comportar dentro do bom senso.

4. *Por que a orientação de abster-se de relações sexuais antes de tais reuniões?*

Ainda: depende do caráter da reunião.

Quando o homem se relaciona sexualmente, em se tratando de um relacionamento sadio e equilibrado, existe uma troca de energias que tendem a equilibrar o casal em suas emoções e sentimentos. Mas igualmente ficam impressas na atmosfera psíquica de cada um, embora meus irmãos não percebam, muitas imagens mentais relativas ao ato praticado anteriormente. É como se os fluidos ou a aura do casal ficasse impregnada das imagens que criaram durante a realização do ato.

Normalmente, não conhecemos quem, entre meus irmãos, tenha condições de desfazer esses clichês mentais com sua própria vontade, pois são muito fortes tais imagens, devido à intensidade das energias movimentadas durante o relacionamento íntimo, que impregnam a atmosfera psíquica do indivíduo. Para se evitarem interferências em reuniões em que se manipula ectoplasma de forma mais abundante, e pela própria natureza desse ectoplasma, que é muito sensível aos pensamentos que são emitidos, procura-se orientar os participantes para que evitem relacionamento durante algumas horas que antecedem a reunião, a fim de não influenciarem, mesmo que inconscientemente, seu resultado. Em alguns casos, já tivemos dificuldades de manipular recursos para desfazer ou diluir as imagens impressas em torno de muitos companheiros, relativas às energias que trocaram durante o ato conjugal.

Facilita muito para os manipuladores desencarnados quando há compreensão e cooperação por parte de meus irmãos. As nossas tarefas poderão transcorrer com mais facilidade se houver cooperação, mas, em caso contrário, não significa que não a realizaremos, apenas que teremos que promover o saneamento da atmosfera mental daqueles que participam dessas reuniões, o que poderá representar um desvio das energias que poderiam ser aproveitadas no tratamento de companheiros necessitados.

As energias sexuais são muito intensas, e na Terra não existe ainda quem possa trabalhar essas energias com o equilíbrio desejado; considerando a força que plasma o pensamento e a facilidade dos fluidos de se impregnarem deles, poderão meus irmãos imaginar como ficam impregnados esses fluidos com as criações mentais, principalmente quando tais imagens são acompanhadas de emoções fortes, como aquelas que são vivenciadas durante o ato sexual.

5. O médium que ainda tem o hábito de fumar pode participar de reuniões mediúnicas ou de alguma mais específica, como as de tratamento espiritual?

Acreditamos que, nesse caso, ele deve participar para que seja tratado, e não como alguém que possa ajudar na doação de fluidos.

A nicotina e o alcatrão, além de danificarem a constituição sutil do duplo etérico, envenenam os fluidos vitais do médium, dessa forma tornando-o nocivo para o trabalho de doação desses mesmos fluidos. Nesse caso, o médium se torna um veículo utilizado por entidades viciosas que se utilizam de suas emanações para atenderem a seus hábitos de fumantes, dos quais ainda não se desvencilharam, mesmo após o desencarne.

O fluido de um médium que fuma é tão prejudicial ao ambiente espiritual que consegue envenenar as energias manipuladas no local, exigindo das equipes que trabalham na reunião um esforço maior a fim de isolá-lo do ambiente para que não prejudique outros que ali comparecem para receberem as transfusões fluídicas.

Além disso, poderão os irmãos imaginar como alguém que ainda não se dominou, a ponto de abrigar um vício tão daninho à própria saúde física, possa manipular fluidos e forças que não vê e cuja ação requer a vontade firme e a disciplina? Certamente não ignoram os danos causados pelo vício do fumo, não só na organização física como na espiritual. Por isso mesmo, aquele médium que dele se utilize deverá primeiramente se dominar, libertando-se de seu vício e dedicando-se a outras tarefas que possam auxiliá-lo a se livrar do jugo da viciação infeliz. É apenas uma questão de bom senso.

6. Como os espíritos superiores vêem o hábito de ingerir bebidas

*alcoólicas, ainda que "socialmente", que alguns médiuns e traba-
lhadores possuem?*

Como desculpa para continuarem alimentado o vício,
embora em doses menores, quando realmente assim
procedem, pois, em sua maioria, dizem beber apenas
socialmente e continuam dando seus tragos escondidos
dos irmãos encarnados, ou inventam um lamentável des-
culpismo pretensamente evangélico para continuarem
com o vício disfarçado de compromisso social. Como
disse conhecido amigo espiritual, são copos vivos de
outros espíritos que deles se utilizam para *socialmente*
manterem seus vícios.

Embora possa parecer radicalismo de nossa parte, não
conseguimos entender onde se encontra o ponto de afinidade entre o copo de água fluidificada ingerida na casa
espírita e o copo de cerveja espumante e cheia de larvas e
parasitas astrais que alguns confrades ingerem, na ilusão
a que se entregam. Gostaríamos que os companheiros
pudessem ver a constituição astral dessas bebidas que lhe
parecem saborosas e mesmo que visualizassem a própria
estrutura perispiritual após a ingestão das famosas bebidas
sociais, e, por certo, teriam náuseas e vomitariam após o
observado.

*7. Qual o efeito da bebida alcoólica, da cerveja, por exemplo, nos médiuns
que têm tarefa específica na área da mediunidade, como nas reuniões
de desobsessão ou tratamento espiritual?*

Não falemos apenas daqueles que desempenham tarefa
mediúnica, mas de qualquer que se utilize dessas bebidas "saborosas", como se lhe chamam. O próprio processo de preparo dessas bebidas favorece a proliferação
de larvas astrais e bactérias, que mais tarde invadem a
estrutura perispiritual do indivíduo, após a sua ingestão.
Depois, tais bactérias e larvas são transferidas para as

correntes fluídicas do duplo etérico, aumentando assim o teor nocivo muitas vezes já existente, devido à falta de preparo moral tão comum aos habitantes da Terra.

Para o médium, no entanto, isso é extremamente nocivo, devido à sua sensibilidade e à necessidade de doação dessas energias para suprir as deficiências de outros. No processo do passe comum, ou do passe magnético, transmite o médium a sua própria energia, contaminada e tóxica, para aquele que ele considera doente e que pode estar muito melhor do que ele, pelo menos antes de receber a carga energética e os fluidos contaminados, que lhe seriam transmitidos caso os espíritos não interviessem. Por aí poderão os companheiros imaginar como não deve ser em outros casos, principalmente no intercâmbio mediúnico com entidades vampirizadoras ou doentes, que acham nesses médiuns um motivo maior para continuarem na situação em que se encontram, pois, se aquele que pretende ser medianeiro do bem está nessa condições, como pretender que eles, os espíritos, se modifiquem? Como entender um dirigente de reunião mediúnica, que se entregue ao hábito nocivo do fumo e do álcool, falando para um espírito se modificar, dominar suas más tendências ou tentando aplicar um passe em alguém, conservando em si a marca tóxica do vício e as larvas e parasitas, que atestam que ele as alimenta pelo copo espumante ou pelo cigarro malcheiroso?

8. *Como os espíritos transportam certos recursos medicamentosos de outros orbes para a Terra, a fim de auxiliar no tratamento de enfermidades?*

> Estudem *O livro dos médiuns* e lá encontrarão o que o Codificador trouxe a respeito. O processo é o mesmo que lá está descrito. [Ver *O livro dos médiuns*, de Allan Kardec, II parte, cap. 5, itens 96 e seguintes.]

9. Nas reuniões de materialização só trabalham espíritos inferiores?

Se assim fosse, o que seria do espiritismo atualmente, pois que essas reuniões eram mais freqüentes no início do movimento?

receituário mediúnico

É MUITO comum encontrarmos pelos agrupamentos espíritas o médium receitista, ou aquele do qual os espíritos possam se servir para orientar os necessitados. O receituário mediúnico, no entanto, nos pede maiores esclarecimentos e responsabilidades. É necessário que se conte com uma equipe de apoio bem orientada e com médiuns estudiosos, que, no seu dia-a-dia, mantenham-se ligados aos nossos irmãos necessitados pelo trabalho constante de benemerência cristã.

Não se consegue simular alguns minutos de concentração, em esforços cerebrais, como se a sintonia com o Alto fosse o produto de uma ação eventual e improvisada da mente. O campo vibratório mediúnico é construído no exercício constante, com o trabalho de burilamento íntimo, com as tarefas de abnegação a serviço do próximo, com a vivência familiar em bases evangélicas. Quando se vivencia esse estado superior no dia-a-dia, com certeza se constrói um clima permanente de sintonia com os orientadores da tarefa mediúnica, sendo que, no momento de exercer a tarefa do receituário ou orientação, a vibração dos médiuns e dos colaboradores será uma conseqüência natural de sua postura íntima, e não um esforço improdutivo e improvisado de sua vontade.

Nos momentos em que a equipe espiritual se movimenta para atender o consulente, que vem em busca de orientação ou de uma receita dos amigos espirituais, utilizamos muitas vezes de recursos da técnica sideral, com diversas aparelhagens que nos facilitam o acesso aos dados dos nossos irmãos. No entanto, ainda encontramos grandes dificuldades quanto às limitações dos próprios médiuns ou às interferências de uma assistência heterogênea, que influencia no psiquismo do medianeiro, isso quando não nos deparamos com os caprichos e empecilhos colocados pela própria imaginação daqueles que trabalham na tarefa.

O plano espiritual depara-se com fatos verdadeiramente absurdos, em muitas casas onde se costuma dar orientações ditas mediúnicas. É espantoso como companheiros que dirigem o movimento e a própria casa espírita possam permitir que problemas dessa ordem assumam tais proporções, quando espíritos menos esclarecidos assumem o controle de médiuns e agrupamentos, passando por mentores de tarefeiros que se descuidam do preparo devido e do estudo constante.

De um lado, enquanto proliferam as receitas apócrifas, que se utilizam de nomes veneráveis para dar peso às comunicações, aumenta igualmente o número de médiuns que vivem a decorar os nomes de medicamentos, em sua maioria alopáticos, para depois os receitarem mediunicamente, sob o aplauso enganador dos que são coniventes com seu erro.

A questão da saúde vai muito além de um receituário homeopático, naturista ou alopático. Os espíritos de certa categoria, quando são realmente os espíritos, evitam, sempre que possível, a indicação de medicamentos alopáticos, deixando para os seus irmãos, os médicos encarnados, a responsabilidade para tal realização.

O ideal seria que a casa que tem o compromisso nessa área pudesse dispor de orientação médica na área naturista, da homeopatia ou dos florais, para atender aqueles que vêm à procura de socorro. Na falta, porém, de tais recursos, os espíritos poderão utilizar-se de médiuns que se sintonizem com os propósitos elevados dessa tarefa nobre. Mas seria bom que os médiuns que se dizem receitistas, e também aqueles espíritos que os orientam, não se esquecessem dos inúmeros benefícios fluidoterápicos que o centro espírita pode colocar à disposição dos necessitados, como a água magnetizada, os passes mistos e magnéticos e, acima de tudo, a leitura edificante, que cria o clima

*Representação do momento de psicografia
ou escrita mediúnica, com a interferência de
benfeitores. Nesta ilustração, o médium está
envolvido pela aura do espírito.*

psíquico adequado para a ação dos fluidos espirituais na renovação do espírito.

Muitos de meus irmãos se esquecem de que a natureza prodigalizou inúmeros recursos — principalmente pela água, que pode ser manipulada pelos espíritos especializados na aplicação energética, utilizando-se do magnetismo divino — e transformam o centro espírita em farmácia e fábrica de receitas que não levam a nada, como se competissem com a medicina da Terra, apenas para manterem o pretendido *status* de que a casa tem um receituário mediúnico.

Deixando de lado o orgulho e a mistificação que se encontram por trás de muitos trabalhos dessa categoria, quando os bons espíritos encontram um médium que se identifique com os propósitos do Alto, eles se utilizam de sua faculdade para levar o lenitivo, o consolo e a orientação evangélico-doutrinária, colimando objetivos mais amplos que a simples receita de uma vitamina ou de um calmante.

Não somos contra o receituário mediúnico, mas pensamos que os nossos irmãos devem reviver os métodos sérios e que sejam alicerçados pela razão, pela simplicidade e pelo bom senso.

As equipes espirituais que trabalham nessa tarefa abençoada procuram perceber a real necessidade dos consulentes e nunca se submetem aos caprichos e desejos daqueles que procuram as orientações de ordem mediúnica. Por isso, quando se procura uma receita ou uma determinada orientação, é comum que a entidade comunicante receite não o esperado, mas aquilo de que realmente precisam os meus irmãos, naquele momento.

É bom que se observe o clima psíquico que se oferece para a realização desses trabalhos. Não basta a presença do médium. Há que se contar igualmente com o apoio de uma corrente mediúnica consciente de suas responsabilidades e da seriedade da tarefa realizada. É muito comum observarmos, entre meus irmãos, o hábito de culpar os médiuns quando determinada orientação não corresponde à realidade, mas esquecem-se de que as correntes mentais daqueles que assessoram na atividade mediúnica também contribuem para o bom ou mal resultado obtido nas consultas. O trabalho é de uma equipe, e não apenas de uma pessoa; por isso, nos resultados, é bom que seja visto o aspecto do conjunto, que deve refletir a harmonia.

Os passes receitados proporcionarão o ensejo de o companheiro ouvir o Evangelho, enquanto espera a hora de ser beneficiado com os recursos fluídicos. Os estudos evangélico-doutrinários permitirão aos irmãos maiores possibilidades para se iluminarem interiormente, produzindo a reflexão benéfica, que antecede a renovação moral, sendo esta a verdadeira cura ou tratamento espiritual.

Variadas são as formas de impulsionar o progresso do espírito pela orientação mediúnica, desde que nos man-

MEDICINA DA ALMA

tenhamos fiéis aos postulados espíritas-cristãos,[51] que nos manterão seguros na marcha de aprendizado e de serviço.

perguntas e respostas

1. As receitas e curas mediúnicas têm recebido muita atenção da mídia. Qual deve ser o comportamento de médiuns e dirigentes quando as pessoas vêm à casa espírita pedindo esse tipo de auxílio?

Primeiramente, os médiuns devem se esclarecer a respeito da proposta da doutrina espírita, a fim de evitarem os equívocos observados em muitos casos como este. Depois, devem orientar aqueles que os procuram no sentido de desmistificar o fenômeno mediúnico, bem como apresentar o propósito dos espíritos superiores para a elevação moral do homem. A doutrina espírita deverá ser primeiramente compreendida pelos próprios espíritos, a fim de que possam orientar melhor aqueles que vêm às casas espíritas em busca de esclarecimento. Estudar as obras básicas da Codificação e os livros sérios e comprovadamente comprometidos com a causa espírita, sem os fantasmas do personalismo e misticismo que ameaçam dominar os arraiais espiritistas, e manter a fidelidade a Kardec e a Jesus constituem o necessário para o trabalhador da seara espírita estar apto a orientar quem lhe procura o concurso.

2. Como deve processar-se, na casa espírita, o atendimento a pessoas com dificuldades diversas, incluindo-se as relativas à saúde física?

Através de irmãos que possuam o mínimo de conhecimento da Doutrina e sejam esclarecidos quanto a determinadas questões, a fim de não correrem o risco de complicarem ainda mais o quadro das dificuldades

[51] Lê-se na obra *A gênese*, de Allan Kardec: "O Espiritismo, partindo das próprias palavras do Cristo, como este partiu das de Moisés, é conseqüência direta da sua doutrina" (cap. 1, item 30). Na *Introdução* de *O Evangelho segundo o espiritismo*, item 1, lemos que "As instruções dos Espíritos são verdadeiramente as vozes do céu que vêm esclarecer os homens e convidá-los à prática do Evangelho".

O espiritismo resulta do ensinamento coletivo e concordante dos espíritos superiores, o qual não é diferente daquele que se encontra nos Evangelhos. Daí por que se fala em espíritas-cristãos, já que todo espírita deve se pautar pelos ensinamentos de Jesus.

daqueles que procuram o concurso do centro espírita.

3. Sabemos de alguns casos de receituário mediúnico em que os medicamentos receitados costumam ser os mesmos, embora as pessoas sejam portadoras de enfermidades diferentes. O que o irmão no diz a respeito?

Muitas vezes vemos a lamentável atitude de médiuns, apoiados pela irresponsabilidade de dirigentes, de decorar nomes de medicamentos para depois indicarem por pseudo-espíritos-guias, num declarado trabalho de mistificação. Poderá, ainda, acontecer de o espírito receitista não entender mais que o médium a respeito de medicamento ou qualquer outro assunto que envolva a saúde de meus irmãos. As causas poderão ser as mais variadas possíveis.

No entanto, convém observar ainda que a doutrina espírita não visa à cura física das pessoas, mas ao aperfeiçoamento íntimo das criaturas, sob o patrocínio do conhecimento do Si pela descoberta interior. Em todos os casos, é necessário que os médiuns, ou mesmo certos espíritos que pretendem ser orientadores, se dediquem mais ao estudo das obras da Codificação, a fim de compreenderem mais a respeito do caráter da Doutrina e dos objetivos dos espíritos superiores. O estudo constante abrigará meus irmãos de possíveis erros semelhantes.

4. Há sempre a necessidade de encaminhar companheiros que buscam a orientação espiritual para o receituário mediúnico, como observamos em algumas casas espíritas?

Meus irmãos possuem excelentes ensinamentos doutrinários impressos nos livros que compõem o pentateuco[52] espírita, e mesmo em outros títulos de valor inquestionável, que podem ser fonte de consulta por parte de meus irmãos, não necessitando encaminhar os mais simples problemas,

[52] São chamadas comumente de *pentateuco espírita* as cinco obras de Allan Kardec que constituem a base da doutrina espírita: *O livro dos espíritos, O Evangelho segundo o espiritismo, O livro dos médiuns, A gênese, O céu e o inferno.*

que vocês já sabem como resolver, para a apreciação dos companheiros espirituais. Essa atitude reflete, o mais das vezes, o desejo de destacar-se, por parte de certos médiuns e dirigentes, através do fenômeno mediúnico, que infelizmente está sendo deturpado em sua função divina, a favor de alguns costumes que têm sido adotados por certos companheiros em suas casas.

passes magnéticos

DOS DIVERSOS tratamentos utilizados para o reequilíbrio bioenergético, o magnetismo[53] é um dos recursos que tem contribuído, de forma muito eficaz, para o auxílio a meus irmãos encarnados e também aos desencarnados. Desde a simples imposição de mãos, até as diversas técnicas utilizadas por eminentes magnetizadores do passado, essa energia abençoada pode atuar na reconstituição eletromagnética do corpo espiritual ou perispírito como também do corpo vital ou duplo etérico.

Os passes longitudinais ou de grandes correntes, quando aplicados na região do sistema nervoso central e do córtex cerebral, tendem a destruir os parasitas e as larvas astralinas que possam estar aderidas a essa região delicadíssima, onde interagem as energias dos dois planos da vida, com vistas ao equilíbrio orgânico. Igualmente, quando aplicados

[53] Joseph Gleber se refere ao magnetismo animal ou mesmerismo, técnica desenvolvida pelo médico alemão Franz Anton Mesmer (1734-1815), segundo a qual os seres vivos são dotados de um fluido magnético com poderes curativos, capaz de ser transmitido de um corpo a outro por contato ou proximidade física.

Allan Kardec lembra, na obra *Definições espíritas*, que Mesmer é na verdade o renovador do magnetismo animal, uma vez que essa ciência era conhecida desde a Antiguidade, sobretudo no Egito. Ele afirmou, na *Revista espírita* de 1869, que magnetismo e espiritismo são "duas ciências gêmeas, que se completam e explicam uma pela outra".

sobre a parte frontal, produzem benéficos resultados sobre o psiquismo, desobstruindo os canais de energia por onde circula o elemento divino, a energia cósmica ou o prana dos hindus, que irriga a fisiologia energética do ser humano.

Passes rotatórios administrados sobre os diversos chacras, com o devido conhecimento, podem infundir-lhes os fluidos revitalizantes responsáveis por seu funcionamento harmonioso, conforme a necessidade de cada um de meus irmãos. Podem despertar os fulcros energéticos para suas atividades sagradas, quando se encontram momentaneamente paralisados pelos desequilíbrios gerados pelo homem.

Ministrada sobre o coronário, a energia superior passa a penetrar no cosmos interior, irrigando todos os chacras de forma harmônica e promovendo a elevação vibratória desses centros energéticos, que passarão a funcionar como dínamos geradores do energismo divino.

Sabiamente empregados nos casos obsessivos, naqueles espíritos que se encontram em tratamento, a energia magnética promove a despolarização dos estímulos da memória[54] espiritual, facilitando o acesso ao passado do espírito pelas lembranças até então adormecidas, o que tantas vezes beneficia o companheiro espiritual em seu retorno aos caminhos da razão.

Pode-se utilizar o magnetismo espiritual na estruturação

---

[54] A *despolarização dos estímulos da memória* é uma técnica utilizada na apometria, método sistematizado pelo médico brasileiro José Lacerda de Azevedo (1919-1997), no Hospital Espírita de Porto Alegre, a partir do ano de 1965.

Situações do passado, desta ou de outras encarnações, marcam a vida dos indivíduos com intensidades variadas, dependendo da forma como eles as vivenciam. Não raras vezes, permanecemos

de campos de força ou células de contenção para impedir entidades perigosas de levarem a termo sua ação maléfica sobre indivíduos e comunidades.

Mas é exatamente na restauração das energias psico-físicas, nos tratamentos espirituais, que o magnetismo é empregado de forma a desafiar o conhecimento vulgar das criaturas terrícolas. Quantas vezes não se presenciou o res-tabelecimento da saúde daqueles que foram desenganados pela medicina da Terra. Quantas vezes um copo de água magnetizada ou fluidificada não serviu de impulso para desencadear uma reação de reequilíbrio no íntimo da comu-nidade orgânica. E, quantas vezes mais, não se presenciou o energismo curador de determinado companheiro que serve de instrumento nas mãos do eterno bem, para lenir a dor, para tranqüilizar o aflito ou para restaurar a harmonia psicossomática que jaz abalada por causas variadas.

Uma infinidade de possibilidades abre-se ante a visão daquele que se propõe investigar ou servir, sob a orienta-ção das leis soberanas que nos regem a vida em todas as dimensões.

Para a tarefa de servir ao próximo, como instrumento de auxílio superior, é necessário se despir do orgulho e das tolas vaidades que agrilhoam os trabalhadores aos vales sombrios das realizações infelizes, que os fazem instru-mentos de inteligências enegrecidas pela ação inferior. É preciso romper o convencionalismo das religiões e dos

---

fixados em acontecimentos, vivenciando emoções suscitadas na ocasião, ainda que de forma incons-ciente.Nas psicoterapias, as experiências são elaboradas, a fim de se buscar novo significado para elas, alterando-se a percepção e o sentimento ligados à situação; da mesma forma, utilizando-se o magnetismo em conjunto com a técnica apométrica, podem-se anular estímulos eletromagnéticos registrados na memória. Observa-se que, após a utilização desse método, denominado *despolari-*

religiosos e se entregar incondicionalmente ao serviço do Cristo, admitindo os limites e a nossa inexperiência ante a grandeza da suprema lei.

Aquele que se dedica ao estudo do magnetismo e de suas leis é amparado por numerosos companheiros que se afinizam com os seus ideais, podendo, no futuro, vir a ser colaborador eficaz das consciências sublimes, para o auxílio à humanidade. É uma tarefa gratificante a daquele que se dispõe a ser instrumento do Alto para a manutenção do equilíbrio e da harmonia dos seres.

Além das energias cósmicas ou telúricas que são assimiladas por meus irmãos para serem manipuladas pelos dignos trabalhadores do Cristo, a natureza também contribui com seu magnetismo ou energismo peculiar, absorvido pela respiração e interagindo na intimidade ultra-sensível dos átomos e células espirituais, para a utilização proveitosa por parte de meus irmãos.

Fontes de água, vegetação e o próprio ar transformam a matéria elementar primitiva através da metabolização dos raios solares absorvidos e desencadeiam processos internos no quimismo astralino do corpo espiritual, encontrando-se esses recursos à disposição daquele que queira utilizá-los de acordo com suas propriedades. Por isso, recomendamos inúmeras vezes que os companheiros médiuns ou os mesmos que vêm em busca do lenitivo possam entrar em contato com a natureza, a fim de se reabastecer dos eflúvios

---

zação, o evento perturbador não é, obviamente, apagado, mas a pessoa já não o sente como antes. Joseph Gleber, nas respostas às questões que lhe foram formuladas, ao final dos capítulos deste livro, afirma que é impossível apagar os registros da memória.

Quando aplicada em desencarnados incorporados, a técnica promove regressão à encarnação anterior, para um confronto com a situação vivida.

balsamizantes que estão à disposição nas fontes naturais. Eis também o motivo de aconselharmos aos estressados e portadores de desequilíbrios no sistema nervoso que procurem entrar em contato com a natureza, a fim descarregar o magnetismo mórbido ou grosseiro no solo absorvente do planeta e, ao mesmo tempo, reabastecer-se dos elementos encontrados em meio ao sistema natural.

Tudo na criação é energia. As formas revestidas pela consciência são apenas aparentes, no que diz respeito à sua realidade espiritual e ao plano do absoluto. O corpo físico é a energia materializada, condensada; o perispírito é a energia dinâmica, e o espírito é a fonte inesgotável desse energismo que se manifesta na criação em várias dimensões ou planos.

A ação magnético-espiritual é uma das formas mais eficazes de intervenção nas diversas manifestações da consciência. Estudemos a respeito dessa fonte natural da vida superior e entenderemos as palavras do Cristo, quando disse: "Em verdade, em verdade vos digo que aquele que crê em mim também fará as obras que eu faço. E as fará maiores do que estas..." [Jo 14:12].

perguntas e respostas

1. Qual o tipo de terapia é mais aconselhado na casa espírita, a fim de auxiliar aqueles que nos procuram o concurso?

>Embora respeitemos as diversas orientações que têm sido transmitidas nas casas espíritas atualmente e embora os

*Passe magnético com dupla aplicação:
ao longo do sistema nervoso central e nos
plexos nervosos, atuando sobre os chacras e
liberando a pessoa de ligações mais intensas
com espíritos inferiores, os chamados
obsessores, bem como da influência de
fluidos perniciosos, fruto de processos
obsessivos mais intensos.*

modismos de terapias alternativas, que invadiram a seara espiritista devido à caça de novidades de dirigentes, médiuns e trabalhadores, acreditamos que a água fluidificada, os passes magnéticos e os passes mistos ainda são a melhor maneira de transmissão dos recursos espirituais, porque guardam em si a simplicidade e a chancela dos bons espíritos, desde a época em que o iluminado Codificador trouxe ao mundo as luzes do Consolador. Embora muitos companheiros queiram inovar, com idéias e equipamentos diferentes, com luzes, cores, salas especiais ou receitas esquisitas, a segurança e a simplicidade dos métodos espíritas ainda não foram superados.

O passe magnético, muito utilizado nos primórdios do movimento espírita, permanece quase esquecido, e raríssimas casas conhecem-lhe os benefícios, ou mesmo sabem que ele existe. Por que, então, não explorar aquilo que temos, com a simplicidade que caracteriza os trabalhos espíritas? Eis um desafio para os meus irmãos.

2. Gostaríamos de perguntar ao companheiro a respeito das chamadas correntes, que são formadas para dar apoio aos médiuns passistas em seu trabalho de doação, bem como a respeito da utilização de certas técnicas de transmissão do passe. Poderia nos esclarecer a respeito?

A condição essencial, que é exigida de meus irmãos para a tarefa de transmissão de energias vitais para outros companheiros necessitados, é o preparo moral e a atitude mental equilibrada, pilares sobre os quais se estabelece o clima de troca fluídica de nível superior.

Considerando-se, no entanto, algumas modalidades do passe magnético, notamos que meus irmãos têm dificuldades na transmissão dos recursos vitais, por não estarem preparados o suficiente para atuarem em nível elevado, sem as interferências dos estados emocionais, íntimos ou mesmo externos. Em casos assim, quando se manipulam fluidos ectoplásmicos mais intensos, é perfeitamente compreensível a formação das correntes de médiuns, na sustentação dos recursos anímicos, favorecendo o doador ou manipulador de tais recursos.

Quanto à utilização de técnicas na transmissão de fluidos revitalizantes, basta estudar as páginas do Evangelho e veremos como o próprio Mestre se utilizou de algumas técnicas, apesar de entendermos que ele não precisava de tais recursos, por dominar amplamente os fluidos através de seu poder mental e de sua força moral, porém nos ensinava pelo exemplo, a nós, que ainda não possuímos os predicados morais suficientes, mas que, se aliarmos à técnica o amor, teremos imensas possibilidades à nossa disposição.

3. *O magnetismo empregado nos processos de cura, nos passes magnéticos, é da mesma natureza do magnetismo que se observa no ímã e em outros materiais?*

No plano dos fluidos, ou dimensão astral, é comum a existência de matéria que vibra de forma mais intensa que no plano físico, e essa matéria astralina, podemos dizer, é basicamente fluida, diferente da matéria do plano físico, e de caráter magnético, sendo facilmente moldável pela ação da mente, através do pensamento. A existência desse plano eletromagnético na natureza poderá, no futuro, ser apreciada pela ciência, e seus mananciais, utilizados em maior amplitude por meus irmãos cientistas e terapeutas.

Obviamente, por ser constituído de fluidos que vibram em estados diferentes de existência, o magnetismo peculiar a essa matéria astral e utilizado nos processos de cura, após as transformações pelas quais passa, não é o mesmo magnetismo que atrai as limalhas de ferro, mas continua sendo uma força magnética, embora em outra escala vibratória, agindo em processo de sintonia em todas as manifestações da energia ou dos fluidos, quando canalizados para a saúde do ser humano, produzindo campos bioelétricos que ativam os chacras, o conjunto de plexos e todo o sistema circulatório do corpo físico. Essa propriedade do fluido magnético explica, também, a ação dos medicamentos homeopáticos e dos florais, na sua íntima relação com os corpos mais sutis.

4. Durante a vida, nós lidamos com impulsos provenientes de registros armazenados em outras encarnações, que se apresentam na forma de deficiências físicas ou psicológicas. É possível, quando esses registros são de natureza psíquica, desfazê-los, ou reprogramá-los, pela terapia regressiva?

A terapia regressiva, tal como vem sendo desenvolvida por profissionais sérios, não é nenhuma fada que possa resolver os problemas de meus irmãos, com a vara de condão das lembranças do espírito. Por mais que possa auxiliar em diversos casos, somente a própria ação do espírito, em novos posicionamentos ante a vida, é que poderá redirecionar seu potencial para novas realizações em sua marcha evolutiva.

Meu irmão fala em reprogramar, como se o espírito fosse um computador onde se pudessem apagar os registros impressos em sua memória. Isso é impossível, no caso do espírito, sendo necessário que se reeduque perante a vida na aquisição de novos valores. A reprogramação, a que se refere, só se torna possível quando é considerada a possibilidade de novas sementeiras, através da vivência dos princípios superiores da vida, como nos ensina o Evangelho. Dessa forma, sim, é possível imprimir novos registros na tela mental, de tal maneira a propiciar colheitas positivas, se assim o homem o decidir.

A terapia regressiva poderá ser de grande benefício, mas

somente a conscientização do indivíduo a respeito de seu potencial íntimo, para a mudança desses padrões impressos em seu psiquismo, é que poderá solucionar o problema humano, quando realizar a viagem do autodescobrimento, implantando otimismo, amor, trabalhando em si mesmo para uma mudança radical dos padrões mentais ou psicológicos que ainda o mantêm prisioneiro das suas dificuldades. Qualquer terapia falha em seu tentame se o homem não quiser se modificar.

CAPÍTULO 13

obsessão

EM ESMAGADORA maioria, a grande causa dos processos enfermiços de ordem psíquica, que caracterizam a paisagem triste do mundo íntimo de muitos irmãos, encontra seu diagnóstico nos casos de intercâmbio doentio entre encarnados e desencarnados.

A obsessão pode ser comparada com um véu negro que se estende sobre a vida da alma, pois que sua existência se deve aos laços de afinidade que existem ou são cultivados pela inferioridade moral das criaturas terrestres.

Desde a simples influenciação, que é comumente observada nos relacionamentos diários, aos processos mais complexos de intercâmbio de energias psíquicas mórbidas, a presença espiritual de antigos companheiros, transformados em perseguidores contumazes, ou mesmo perseguidos pelas idéias de muitos encarnados, transforma-se em cadeias que agrilhoam a mente num círculo vicioso, no qual idéias extravagantes são alimentadas pelo espírito, trazendo-lhe conseqüências funestas.

Utilizando-nos do moderno vocabulário de meus irmãos encarnados, podemos classificar os processos obsessivos de caráter simples comparando-os com as neuroses, que comumente se fazem notar nas diversas manifestações do psiquismo doente e são facilmente identificados nas manias, nos aspectos nervosos ou nos comportamentos desregrados que se observam na maioria das pessoas.

Em processo mais intenso, definido por Allan Kardec como fascinação, podemos compará-lo com as psicoses, que geram distúrbios comportamentais mais graves e que geralmente se caracterizam pela ação da mente desencarnada sobre o indivíduo, fazendo-o acreditar ser aquilo que não é, ou mesmo sofrendo os variados complexos que lhe caracterizam o estado mais avançado de intercâmbio doentio, nas manifestações maníaco-depressivas ou em outras atividades mórbidas do psiquismo enfermo.

Os casos de subjugação, podemos identificá-los nas manifestações psíquicas mais graves, quando há coação física, como em alguns casos de epilepsia e outros em que o doente se submete à ação do espírito, em processo de sintonia, e a entidade utiliza-se de seu veículo somático de forma mais intensa, podendo induzi-lo a ações físicas constrangedoras.

Dessa forma, abrangendo sua generalidade, podemos afirmar que grande massa da humanidade encontra-se constantemente influenciada pelo mundo espiritual. Observando-se os comportamentos que se particularizam nas diversas experiências humanas, meus irmãos funcionam como antenas receptoras ou irradiadoras de ondas mentais que se encontram na intimidade psíquica, em processo de sintonia pelas tendências cultivadas, gerando comportamentos muitas vezes desequilibrados, que, com o passar do tempo, poderão comprometer aquele que oferece campo mental propício para tais idéias, resultando em distúrbios mentais mais ou menos graves, conforme a intensidade das ondas sintonizadas.

Nesse intercâmbio mórbido, as inteligências desencarnadas, em processos infelizes de existência extrafísica, utilizam-se, consciente ou inconscientemente, de seus receptores encarnados como fios orgânicos que materializam seus pensamentos e desarmonias íntimas nas formas de depressão e melancolia, ou nos temperamentos irritadiços, que muito se manifestam nas pessoas envolvidas.

Insônia, ansiedade, angústia indefinível, parasitas astrais com suas manifestações mórbidas no sistema nervoso, comportamentos desregrados são formas de exteriorização das influências espirituais menos felizes, ou mesmo de casos difíceis de auto-obsessão, quando o próprio indivíduo é a fonte da problemática, sendo ele vítima de si mesmo, num envolvimento mental que acaba por atrair outras consciências desencarnadas que se afinizam com suas características mentais.

Em grande número dos casos, a influência espiritual é tão sutil que muitas pessoas, embora possuam o conhecimento de certas leis do mundo oculto, entregam-se ao intercâmbio doentio das idéias sem se aperceberem de que estão sendo joguetes de inteligências que não guardam nenhum compromisso com as questões morais mais sérias da vida.

Muitos espíritos, de posse do conhecimento das leis do mundo oculto, atuam pela sugestão no campo das idéias e imagens mentais, mais ou menos intensas, conforme os recursos empregados pelos agressores desencarnados. Utilizam-se, geralmente, de criações mentais primitivas para coagir suas vítimas, inclusive lançando mão de diversos artefatos que poderão empregar para obter êxito na ação que propuseram concretizar.

Mesmo nos casos de influenciação considerados mais simples, poderá ocorrer a influência de vários espíritos em relação a uma só vítima.

Esse tipo de intercâmbio é muito comum na comunidade humana, e é por isso que a defesa[55] psíquica, realizada pelo culto cristão no lar, pela leitura de uma página salutar, pelo cultivo de hábitos sadios e conversação elevada, é de eficácia comprovada, pois eleva o padrão mental do indivíduo

[55] Talvez muitos fiquem decepcionados diante da afirmativa de Joseph Gleber, segundo a qual o equilíbrio no pensar, no sentir e no agir é tudo. Quantos de nós ainda acreditam na defesa proporcionada por objetos, esquecendo-se da responsabilidade pessoal em face dos acontecimentos? A propósito, vale ler o trecho intitulado *Poder oculto, talismãs e feiticeiros* em *O livro dos espíritos*, de Allan Kardec (itens 551 a 556).

enquanto imprime-lhe formas-pensamento ou imagens mentais altruísticas, que o colocam em ligação com as elevadas energias do Plano Superior.

O cultivo dos bons pensamentos, de posturas equilibradas e otimistas, regados pela leitura edificante, evita que o ser humano se entregue às sombras das neuroses ou psicoses. Estas, em sua maioria, são processos de influenciação de idéias, seja entre encarnados ou desencarnados, seja em outras variações da influência obsessiva — quando não procedem de um passado culposo, no qual o espírito delinqüente tentou burlar os princípios da divina lei, sobre o que sua consciência reclama, em processos dolorosos de resgate íntimo, os quais se manifestam de forma doentia nos diversos tipos de enfermidades da alma.

Observamos, igualmente, os estágios mais avançados de sintonia quando o pensamento, já desequilibrado por abrigar ondas mentais incompatíveis com as sagradas leis da vida, entrega-se invigilante a influência mais intensa, gerando estados psíquicos enfermiços catalogados pela moderna psiquiatria e psicologia humanas e observados nos distúrbios comportamentais ou disfunções de variada ordem, presentes em grande quantidade de seres humanos.

O estágio correspondente ao que o eminente codificador do espiritismo catalogou como fascinação, comentado anteriormente, poderá, em suas manifestações, ser muitas vezes mais difícil enfrentar que os casos de subjugação, sendo uma etapa em que a onda mental da consciência desencarnada atua com mais nitidez sobre seu companheiro encarnado. É aí que se observam as mudanças do comportamento, quando o indivíduo passa a isolar-se do meio, por medo infundido de que alguém ou algo venha interferir no intercâmbio doentio que se encontra em andamento. É quando abriga as manias de perseguição ou outros fantasmas criados pela mente do desencarnado, para evitar que o obsedado seja arrancado de suas influenciações.

Nesses casos, o enfermo se encontra com o duplo etérico povoado de formas parasitárias que interferem diretamente nas áreas correspondentes ao cérebro físico, tornando difícil a ação externa de ajuda. Dependerá dele, de uma reestruturação interior, para retomar o equilíbrio perdido.

Ainda nessa fase, podemos encontrar grande quantidade de médiuns, que, julgando-se assistidos por elevadas entidades do plano espiritual, isolam-se dos agrupamentos, onde poderiam ser mais esclarecidos quanto ao seu equívoco.

Lamentavelmente, muitos de meus irmãos são conduzidos a consultórios de profissionais da psicologia ou da psiquiatria que, embora respeitáveis, desconhecem ou negam a realidade da vida espiritual. Dessa maneira, manicômios e consultórios psiquiátricos estão cheios de enfermos da alma, que bem poderiam ser atendidos por esses profissionais, auxiliados pela moderna terapia espiritual. Hospitais e casas de saúde estão superlotados de pessoas cujos dramas se encontram gravemente comprometidos com inteligências extrafísicas, em estados dolorosos de intercâmbio doentio.

Mais que a hanseníase, o câncer ou a aids, as obsessões, em suas diversas manifestações, constituem-se no mal do século, mormente neste período pelo qual atravessa a humanidade terrena, em que os casos dolorosos do passado têm se manifestado com maior intensidade, num acúmulo das potências dos dois planos da vida, visando à solução dos dramas milenares vivenciados por meus irmãos. As comunidades terrestres aguardam a influência benfazeja das luzes do Consolador, a fim de clarear esse capítulo sofrido da existência humana. Somente o espiritismo, entendido como os conceitos de vida nele sintetizados, poderá trazer a luz sobre as consciências humanas e fazer com que os modernos métodos de tratamento sejam enriquecidos com a noção dos princípios espirituais.

Nos casos de subjugação, quando a entidade obsessora guarda ascendência sobre o obsediado, assumindo-lhe a coordenação motora em complicados mecanismos mentais, o sistema nervoso central, notadamente o vago-simpático, é entrelaçado com os fluidos e as influências do espírito, demandando longo tratamento, que poderá ser ampliado para outra encarnação, dependendo da intensidade do processo obsessivo.

Em qualquer situação, no entanto, é necessário que as

duas partes sejam submetidas à terapia espiritual, para que seja alcançado êxito total ou parcial. Em todos esses casos dolorosos, comprometidos muitas vezes por um passado de delitos e de dores, obsediados e obsessores se arrastam, anos e anos, em lamentáveis trocas de energias psíquicas, até que a lei suprema entre em ação, pelo mecanismo abençoado da dor, em reencarnações expiatórias, libertando-os dos grilhões que os algemam, quando o amor despontar nos corações daqueles que vivenciam o drama atroz.

Nos quadros de obsessão, em qualquer estágio, os indivíduos portadores de desequilíbrio trazem afetados os chacras inferiores, principalmente o umbilical, por onde se ligam as entidades dos planos mais baixos do submundo astral, e com isso ficam sujeitas a instabilidades emocionais, nervosismo, recebendo todo o conjunto de sensações e emoções do desencarnado que se liga à vítima, transferindo-lhe as impressões.

Há que se empregar a terapia espiritual, pois, em muitos casos na atualidade, a tão falada doutrinação utilizada em alguns centros mais não é do que uma catequização religiosa do espírito que se pretende ajudar. Nem sempre, e na maioria das vezes, o espírito está necessitado de uma doutrinação nos moldes estritamente religiosos. O papel da doutrina espírita é muito mais amplo do que aquilo que se pretende ao tentar transformar o espírito em espírita, desencarnado ou encarnado. O papel do orientador ou terapeuta espiritual é

[56] O acréscimo à psicografia original aqui destacado visa sublinhar o alcance do comentário do espírito Joseph Gleber. Segundo afirma, é importante lembrar que o mentor de uma reunião espírita nem sempre é um espírito superior, na exata acepção do termo, conforme lembra Allan Kardec. Além disso, há espíritos dirigentes de reuniões especializadas que não são profundos conhecedores dos postulados espíritas ou não necessariamente conhecem os princípios da ciência

fazer com que as partes em conflito sejam encaminhadas ao autodescobrimento, possam se encontrar como realmente são e, por si mesmas, descubram o melhor caminho para a felicidade; é ampliar-lhes as consciências perante as leis do Mundo Maior, que o espiritismo muito bem explica, sem a pretensão de fazer prosélitos em qualquer lado da vida em que se encontre o espírito.

Compete ao orientador encarnado a tarefa da reeducação das consciências que são tratadas, e não a catequização ou conversão a seu modo de pensar, tampouco a *espiritização* da entidade obsessora. Cada espírito assume o caminho que escolher após ser esclarecido. É bom que se evite, no contato com essas mentes enfermas, o falso moralismo e o religiosismo — características tão presentes em muitos de meus irmãos, bem intencionados — mas que servem apenas para se estratificar, nas mentes desequilibradas, seu passado já tão cheio de crendices e superstições ou de promessas religiosas não cumpridas.

Os orientadores das reuniões especializadas, *tanto de um quanto de outro lado da vida*,[56] devem ter consciência da grandeza dos postulados espíritas e conhecer-lhes o conteúdo doutrinário, sem mistificações nem tabus, para que sejam realmente instrumentos das entidades venerandas, no auxílio aos que sofrem nas duas dimensões da vida.

De posse do conhecimento espírita, desenvolvendo-se o bom senso, o espírito de análise e de observação, o uso

espírita em toda a sua abrangência.

No texto original, a expressão usada era "orientadores espirituais". No entanto, segundo esclarece Joseph, não era sua intenção referir-se apenas aos benfeitores espirituais, pois o encarnado também é orientador espiritual da reunião, ao menos diante daqueles que serão tratados.

Ilustração de um processo de influenciação mental por parte de um espírito obsessor, em que as correntes de pensamento em intenso magnetismo atingem o alvo — o ser encarnado.

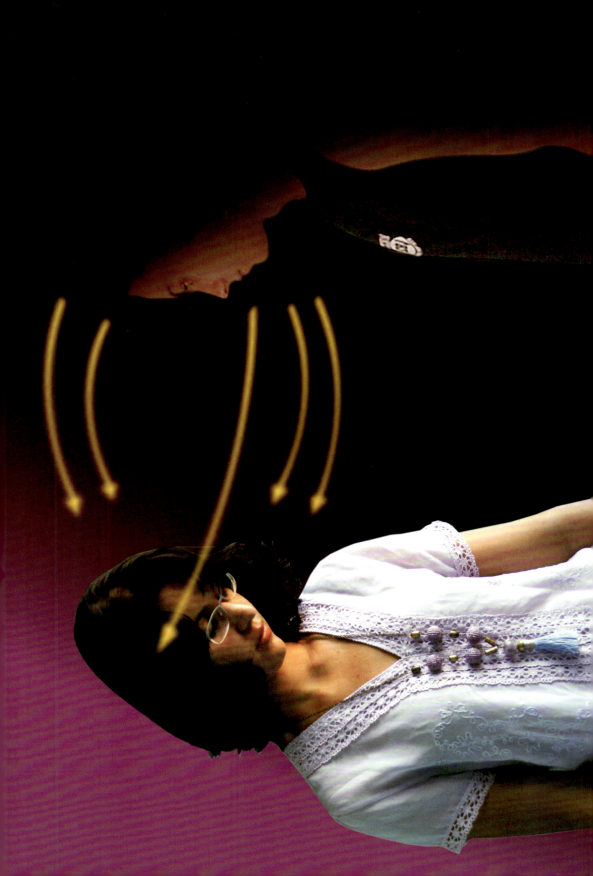

da razão temperada com o sentimento sem pieguismo, se terá a forma ideal de terapia espiritual no trato com irmãos equivocados. Espiritismo é fonte sublime de equilíbrio para o autodescobrimento, que desperta a felicidade do espírito.

monoideísmo

Ainda estudando os complexos mecanismos da obsessão, podemos observar a constância da ação mental fixativa de certos espíritos, que se comprazem em estacionar no ambiente ou na imagem mental que elegeram, fenômeno denominado *monoideísmo*.

Ocorre que, devido à lei das afinidades fluídicas, a forma-pensamento fixa nas telas da memória originária reveste-se da matéria mental ou astral dos planos inferiores, que passa a agregar em torno de si naturalmente, criando assim elementos de vida fictícia, que povoam, a partir de então, a atmosfera psíquica daquele ser que gerou e alimenta a idéia original. A insistência em manter-se em determinados padrões mentais torna, a cada instante, mais difícil o indivíduo libertar-se da viciação do pensamento a que se entregou, abrindo campo para o desenvolvimento não só do monoideísmo, como também de diversos sintomas psicóticos, além de outros estados enfermiços do psiquismo e da personalidade, conforme o grau de identidade com a imagem mental fixa ou a situação por ela representada.

O quadro descrito reflete uma deficiência do espírito,

por encontrar-se, algumas vezes, vinculado a compromissos pretéritos, que se exteriorizam pela vibração mental de que se faz algemado. É necessário ministrar ao enfermo não apenas o tratamento espiritual, com os recursos amplos do magnetismo e da fluidoterapia, como também se certificar de que usufrua dos benefícios de uma orientação psicológica, com as modernas técnicas desenvolvidas por profissionais competentes e sérios, portadores do devido esclarecimento espiritual. Tudo tem por objetivo alcançar a ruptura dos laços que ligam o monoideísta a este ou aquele quadro mental, pois, com o tempo, caso perdure a situação de desequilíbrio, ele poderá apresentar total ou parcial alheamento da esfera objetiva da realidade e ver emergir, sem controle, uma vida irreal, em que a idéia central seja a resultante da fixação do pensamento em desarmonia.

Com a irradiação do pensamento, com certeza a pessoa haverá de encontrar outras mentes que se lhe ajustem em processo de sintonia, ampliando a deficiência, sendo necessário, em alguns casos, o choque energético ou vibratório, para que o indivíduo desperte, ainda que momentaneamente, para a lucidez que o obrigará a vivenciar outras experiências da vida.

Manter o pensamento voltado, de forma constante, para algo subjetivo, ou para alguma imagem mental específica, tende a interferir de maneira intensa no senso de realidade do indivíduo, afetando sua vida de relações no dia-a-dia.

Após o desencarne, esse espírito provavelmente aportará deste lado apresentando sérios prejuízos em sua organização psicossomática. A fim de recuperar o campo íntimo desorganizado, o ser reclamará, no futuro, a internação em corpo físico compatível com o desajuste psíquico, momento que deparará com métodos mais intensivos ou rigorosos de reeducação.

O monoideísmo gera estados psicológicos mórbidos, que requerem muito tato e persistência, aliados ao conhecimento dos mecanismos da mente, para auxiliar aqueles cuja vida mental se encontra comprometida com tal desajuste. Nesses casos, é bom que sejam acompanhados com o conhecimento espírita a respeito das influências espirituais e com o apoio adequado da psicologia que leva em conta o fator espiritual. Isso porque, em sua origem, o monoideísmo geralmente têm íntima ligação com conflitos existenciais da vida presente ou pretérita, nos quais o indivíduo plasmou situações ilusórias e vinculou-se a atitudes egocêntricas e estados conscienciais conflitantes ou infelizes, que se refletem na modificação dos valores internos e na visão deturpada da realidade objetiva.

Eis que a doutrina espírita representa verdadeiro apoio, com a profunda visão que traz acerca da problemática existencial humana, incentivando a reestruturação dos clichês mentais através da sua proposta de renovação e descobrimento interior, o que poderá auxiliar no equacionamento dos problemas íntimos e ampliar os valores morais, eliminando as ânsias, angústias e neuroses, que, de outra forma, minariam as resistências biológicas, além das psicológicas, somatizando-se as diversas deficiências de meus irmãos nas variadas enfermidades que, na atualidade, desafiam o conhecimento e a atuação de profissionais da área da saúde física e mental.

Perdido em meio às suas próprias dificuldades, sem identidade própria, o homem carece do amparo da terapêutica espírita a fim de se descobrir. Essa, a grande contribuição dos Imortais para que o ser humano se aprimore e plenifique-se na sua auto-realização.

perguntas e respostas

1. *Todos os problemas de neuroses e psicoses são processos obsessivos?*

> A obsessão nem sempre significa a atuação de outra inteligência ou espírito para prejudicar alguém, mas pode igualmente significar a insistência de uma pessoa em manter-se no mesmo padrão mental, em idéia fixa, que forma o circuito fechado das auto-obsessões. Encarando-se dessa forma, os problemas psicológicos podem ser o resultado tanto da ação perniciosa de certos espíritos que envolvem o homem com suas idéias e energias, como das experiências vivenciadas por alguém no passado recente ou remoto e que se refletem como distúrbios, neuroses, psicoses e outros desequilíbrios, reclamando a assistência psicológica e espiritual, a fim de se encontrar a melhor solução para a problemática de meus irmãos.

2. Diante dos problemas em que o homem vive submerso, geradores de diversos traumas e conflitos emocionais, qual é a visão dos companheiros espirituais a respeito da situação humana?

[57] A propósito destas considerações, ver o livro *Superando os desafios íntimos*, do espírito Alex Zarthú pela psicografia de Robson Pinheiro.

O homem permanece ignorando a si mesmo. Ainda não se conscientizou do próprio potencial, que carrega em sua intimidade. Por isso, vê-se prisioneiro dos fantasmas que lhe povoam o mundo íntimo, causando-lhe diversos distúrbios, que hoje são analisados pela moderna psicologia, devido, muitas vezes, às suas atitudes egocêntricas e que o fazem viver envolvido nas ilusões de uma existência atormentada. Ante os problemas vividos na atualidade, proliferam as personalidades neuróticas, com as fugas da realidade e as fobias injustificáveis, requerendo do indivíduo que descubra um novo caminho, a rota do Eu, o caminho interior, para que o homem se encontre, se reconheça e autoconheça, a fim de plenificar-se através da vivência superior e equacionar suas dificuldades pela auto-descoberta, quando então entrará na posse dos potenciais que jazem adormecidos em sua intimidade.[57]

3. Qual é a proposta dos espíritos para solucionar o problema do homem?

A proposta é a terapia do amor, que enriquece o ser, rompendo-lhe as barreiras dos conflitos íntimos e expandindo a sua consciência além das acanhadas fronteiras do personalismo e do egocentrismo.

4. O que pensa o companheiro espiritual a respeito de Freud e sua contribuição para solucionar os problemas da humanidade?

Segundo os registros do plano espiritual, Freud, assim como Jung e Pavlov,[58] foi sacerdote do Antigo Egito, na época de Mernephtah, iniciado em muitos segredos da mente e nas várias leis da natureza, já estudadas, naquela época, pelo colegiado dos sacerdotes. Porém, utilizaram mal o conhecimento que tinham, para o temor de povos

[58] Sigmund Freud (1856-1939), médico neurologista, nascido na Morávia, atual República Tcheca, é considerado o pai da psicanálise. São pioneiros os estudos que realizou acerca do inconsciente humano e suas motivações.
Carl Gustav Jung (1875-1961), psiquiatra suíço, elaborou uma teoria sobre o funcionamento da psique que ficou conhecida como psicologia analítica. É o responsável pela formulação de conceitos

OBSESSÃO **217**

escravizados, em quem realizavam experiências delicadas para a comprovação de suas teorias.

Retornando ao palco da vida terrena, depois de várias experiências reencarnatórias, foram realmente grandes missionários da ciência.

Sigmund Freud, ao observar os distúrbios mentais de várias pessoas, as neuroses e psicoses, a neurastenia e os demais casos com os quais deparou, ante a sua visão mais profunda do psiquismo humano cogitou que esses problemas complexos estavam como que alojados na profundidade da mente, nas regiões desconhecidas do psiquismo, procurando encontrar aí as causas de diversas doenças que caracterizam o mundo íntimo de muitas pessoas, trazendo para a ciência moderna os conceitos da consciência profunda, da subconsciência e das regiões da consciência atual, os quais deram nascimento à moderna psicanálise. Faltava-lhe, no entanto, o conceito reencarnacionista, que, aos poucos, está adentrando os portais do templo das ciências da mente, inspiradas no plano espiritual, pela ação desses trabalhadores incansáveis, que continuam com a tarefa de desfazer na mente do homem aquilo que no passado semearam, gerando problemas seculares, que só encontram o equacionamento na grande viagem que o homem é convidado a realizar para dentro de si mesmo, através do autodescobrimento.

A psicanálise e a psiquiatria não conseguiram fazer mais progressos por se manterem afastadas da realidade espiritual, que, no futuro, será igualmente integrada aos seus métodos de trabalho, inspirados pelos espíritos de Freud e Jung, que continuam operantes deste lado da vida, trabalhando agora em novos conceitos que trarão para o compêndio das ciências da mente, em momento oportuno, quando reencarnarem, para dar prosseguimento à tarefa que iniciaram.

---

amplamente conhecidos, como os de arquétipo, inconsciente coletivo e complexos. Além disso, assim como Freud, ofereceu vasta contribuição ao estudo dos sonhos.

Ivan Petrovich Pavlov (1849-1936), médico russo, entrou para a história em razão de sua pesquisa sobre o mecanismo do condicionamento clássico, descoberta que mostrou ter ampla aplicação prática, inclusive no tratamento de fobias e nos anúncios publicitários.

5. Como o espiritismo pode ajudar na solução dos problemas psicológicos?

A humanidade está, aos poucos, adentrando um novo período, em que os valores do espírito serão mais compreendidos e em que a ciência humana se espiritualizará. Novos paradigmas são propostos aos pesquisadores e aos homens de ciência. As mentes se expandem rumo a novos horizontes, e nasce uma nova espécie de ser, o homem espiritual, que se eleva ao cosmos e amplia as fronteiras de seu mundo para além das dimensões.

Muitos problemas de fundo emocional, e até mesmo outros, que se manifestam fisicamente, podem guardar suas raízes em vivências passadas, quando o espírito, em experiências transatas infelizes, criou bloqueios psicológicos mais ou menos intensos, conforme a sua participação emocional em eventos que deram origem à distonia. Essas experiências, muitas vezes dolorosas, somam-se a outras e aos poucos formam verdadeiros blocos ou cúmulos emocionais de energias, que passam a integrar o psiquismo da criatura. Ao aportar em nova encarnação, assumindo um corpo físico compatível com seu estado vibratório íntimo, essas energias ou experiências mal-resolvidas de seu passado espiritual emergem do psiquismo como manifestações psicológicas indesejáveis, que, às vezes, somatizam-se, através dos diversos distúrbios que abalam a estrutura fisiológica, comprometendo o equilíbrio do ser.

Tais experiências deverão, com o tempo, ser tratadas com os modernos recursos da psicoterapia, enquanto, irrigado pelos ensinamentos atualíssimos do Evangelho, poderá o indivíduo retomar o caminho do equilíbrio interior.

A causa dessas dificuldades encontra-se muitas vezes na falta de amor à própria vida, no desprezo aos valores reais ou numa visão distorcida desses valores, gerando no futuro, como no presente, estados enfermiços, que com o tempo poderão levar à depressão, melancolia e ansiedade, causando a infelicidade íntima e quem sabe até o infeliz ato de suicídio, que poderá ser evitado com a terapia do auto-amor.

O otimismo em todas as circunstâncias da vida, aliado à valorização das próprias experiências, da própria vida, poderá ser o recurso eficaz contra esses tipos de distonias íntimas. Amar-se íntima e intensamente significa valorizar-se, dignificar a própria existência com atos iluminativos e uma vida nobre, que elevarão o padrão vibratório do psiquismo, propiciando a serenidade da alma.

Otimismo, mesmo diante de circunstância que se julguem difíceis, requer compreensão das leis que regem as nossas vidas, da Providência Divina e da potencialidade de si mesmo.

A ciência espírita vem como contribuição para a humanidade, e sua mensagem renovadora atuará como bisturi que aprofundará a investigação científica no organismo da alma, a fim de auxiliar o homem na descoberta do Si e na plenificação de sua vida.

goécia e antigoécia

Irmãos espiritistas tentam ignorar, muitas vezes, a ação e a existência da tão falada magia negra.

Nas regiões subcrustais e no submundo astral convivem seres de variadas procedências, com séculos de experiências nem sempre sadias, que percorreram ao longo do tempo. Espíritos que receberam sua orientação e iniciação nos mistérios antigos dos povos egípcios, caldeus, assírios, da antiga Atlântida ou de outros povos, cujas lembranças se encontram perdidas na poeira dos tempos, permanecem ainda de posse do conhecimento que detinham quando encarnados e agora, nos planos em que se encontram, utilizam-se do conhecimento adquirido para tramarem contra o progresso e a evolução do pensamento humano.

A magia não é nada mais do que o conhecimento de certas leis que permitem a manipulação dos fluidos do mundo astral e que muitos de meus irmãos enganosamente julgam conhecer, com o pouco de estudo e experiência que possuem, mas que entidades perversas das sombras podem manipular com eficácia terrífica, mesmo que dentro de certos limites.

Mobilizando forças naturais, manipuladas e dirigidas para prejudicar suas vítimas, fazem-se acompanhar, inúmeras vezes, de maltas de espíritos de baixo nível mental, que minam as resistências do indivíduo, enquanto eles mesmos emitem campos magnéticos de baixíssima freqüência, capazes de desagregar as defesas mentais e mesmo físicas daqueles que são objeto de sua ação maléfica.

Técnicos das trevas, desencarnados ou encarnados — pois que os há também entre meus irmãos — costumam utilizar-se de eficiente magnetismo para flagelar comunidades inteiras, famílias ou indivíduos, conforme deliberam em seus conselhos trevosos. Utilizando-se da ação de vampiros astrais, parasitas, larvas ou vírus, criados e mantidos em seus laboratórios, nas regiões subcrustais ou no fundo gélido dos oceanos, sugam as energias vitais das suas vítimas, intentando toda sorte de flagelo psíquico ou físico contra tudo e todos que incentivem a marcha do progresso, tentando adiar ao máximo o saneamento da atmosfera espiritual do planeta Terra, por saberem que já pouco tempo lhes resta, ante as modificações que se esperam para a implantação definitiva do reino do amor, em nova etapa evolutiva.

A ação desses magos e técnicos das trevas sobre o duplo etérico, por exemplo, quando concentrada sobre determinado ponto, acaba por romper as defesas locais, energéticas e magnéticas, destruindo a proteção natural que a tela etérica oferece, colocando a pessoa à mercê de sua intenção infeliz. Em casos assim, observados com certa freqüência por nós, desencarnados, podemos notar claramente quando determinado vírus rompe as defesas naturais do organismo e se instala, por via do duplo etérico, na contraparte física, diretamente pela atuação da inteligência sombria.

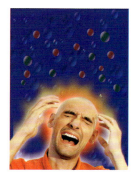

Muitas das inteligências peritas na magia negra especializam-se em determinada espécie de ataque e, por conseguinte, desenvolvem técnicas específicas para tal, como nos casos em que se dedicam à promoção de doenças viróticas, com bases extensas no submundo astralino, onde cultivam toda sorte de criações virulentas, pois sabem que tais vírus se alimentam basicamente de emanações mentais mórbidas, as quais a humanidade lhes oferece com seus pensamentos desequilibrados. Outras ainda se especializam no ataque à estrutura nervosa ou cardíaca, ao passo que a maioria utiliza campos magnéticos possantes, gerados por suas mentes rebeldes, para intensificar a ação sobre meus irmãos encarnados.

Há que se considerar a existência desses magos do magnetismo e da baixa magia quando se lida com companheiros

*Qualquer estado de desarmonia
interior abre campo para energias
desequilibradas. A aura reflete
intensamente os conteúdos emocionais,
causando perda sensível de fluido vital.*

que procuram as casas espíritas, pois, para essa categoria de espíritos, não basta a popular doutrinação, sendo necessária não só a ascendência moral sobre eles, como também o conhecimento a respeito de magnetismo espiritual e o assessoramento de espíritos que tenham conhecimento do assunto. Aqui falha qualquer pretensão de meus irmãos em poder resolver o caso que se lhes apresente restringindo-se tão-somente à aplicação dos métodos convencionais, mais difundidos ou consagrados entre os irmãos espíritas. Será necessário utilizar-se de técnicas adequadas para desativar as bases desses magos das trevas, destituir-lhes de seus poderes iniciáticos e desimantá-los magneticamente de suas vítimas, desfazendo os campos vibratórios criados em torno da pessoa, da residência ou dos objetos utilizados por aqueles que lhes sofrem a influência.

Sob a ação perversa da goécia, encontramos muitíssimas vezes os casos dolorosos de loucura, os infartos inexplicáveis, as simbioses e os parasitismos espirituais, além de diversos outros capítulos sofridos no grande drama de meus irmãos.

Eis que se exige do trabalhador espiritista que se dedique ao estudo das leis espirituais e que busque a sintonia com as elevadas entidades que orientam nossos destinos, evitando o pieguismo religioso e ampliando os campos de pesquisa do mundo espiritual e de suas leis, pois, neste momento em que a humanidade passa por dificuldades de todo jaez, é necessário o conhecimento legítimo, a pesquisa séria, a moral elevada, para ser digno representante das consciências superiores, enfermeiros do grande médico das almas, Jesus.

Nos casos dolorosos que aportam nas casas espíritas, muitos dramas complexos poderão guardar envolvimento com a atuação de magos — e também de cientistas das trevas, que veremos a seguir —, requerendo de meus irmãos, sempre e em qualquer situação, o desenvolvimento moral, para que se tenha ascendência sobre os casos que se apresentem; aliado à moral elevada, o estudo constante, tendo como base os escritos de Allan Kardec, pois que dessa forma se evitará perder-se em labirintos sombrios de especulações inúteis. O trabalhador do Cristo há que se cuidar, pois numerosos são os casos em que o suposto dirigente ou doutrinador está mais influenciado do que aquele que busca o socorro, por acalentar falso moralismo, posicionamentos personalistas ou espírito dogmático, que não deixam de ser desequilíbrios e que tornarão infrutíferos os esforços de outros trabalhadores do bem. Estudo constante e elevação moral, eis as maneiras de nos tornarmos auxiliares conscientes dos espíritos superiores que nos dirigem.

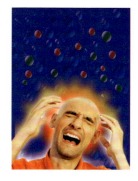

A existência de poderes organizados nas regiões do submundo astral traz ao conhecimento de todos ainda uma outra categoria de espíritos mais especializados em seus cometimentos sombrios: os cientistas que se entregaram a experiências inescrupulosas e que continuam se utilizando de seu potencial para tentar impedir o progresso e a marcha evolutiva de seres e de coletividades.

Através do implante de aparelhos e artefatos tecnológicos desenvolvidos em seus laboratórios no mundo invisível — intervenção esta que pode ser realizada tanto no corpo perispiritual como no duplo etérico de suas vítimas —, os cientistas do submundo astral promovem o desajuste psíquico ou orgânico, criando imagens mentais e cúmulos emocionais que se manifestam em enfermidades de diversas modalidades, desafiando o esforço de médicos, psiquiatras, psicólogos e outros terapeutas, por rejeitarem a existência do mundo espiritual e desconhecerem a ação funesta dessa categoria de espíritos. Muitos sintomas de determinadas doenças são manifestações dessa influência e do uso de aparelhagem criada pelos cientistas das trevas, cuja atuação visa, na maioria das vezes, desestruturar psiquicamente a vítima, levando-a à loucura ou ao suicídio. Essa triste realidade não pode ser ignorada por meus irmãos, ao serem tratados assuntos tão relevantes quanto estes que envolvem as questões da alma humana.

É imprescindível que meus irmãos se esclareçam[59] mais amplamente quanto aos processos obsessivos, pois tais situações são muito constantes na vida do homem da

[59] Para saber mais sobre o assunto, pode-se recorrer aos livros *Aruanda* e *Legião: um olhar sobre o reino das trevas* (ambos de Robson Pinheiro pelo espírito Ângelo Inácio) e às obras *Espírito/matéria: novos horizontes para a medicina* e *Energia e espírito*, de José Lacerda de Azevedo, que tratam da apometria.

---

[60] No romance *Canção da esperança* (Robson Pinheiro pelo espírito Franklim), notadamente nos caps. 8 e 12, há um relato rico em detalhes da técnica de implantação de larvas e formas parasitárias cultivadas no astral inferior. O texto também descreve o quadro que favorece esse tipo de atuação espiritual nefasta sobre os encarnados ao mostrar as características do personagem Randolfo.

Além desses trechos, recomenda-se a leitura do cap. 1 do já citado *Legião: um olhar sobre o reino das*

Terra, que ainda se encontra distanciado dos caminhos do equilíbrio e da harmonia íntima.

perguntas e respostas

1. Poderia nos esclarecer quanto aos parasitas e larvas astrais?[60]

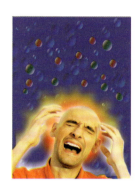

O parasita, ou larva astral, é o resultado de criação mental mórbida, de duração mais ou menos longa, conforme a constância e a intensidade do pensamento desequilibrado ou do ambiente que os mantém. Em geral se agregam mais diretamente ao corpo etérico e, às vezes, ao próprio perispírito, embora em quantidades menores, envenenando as reservas de fluidos vitais do organismo. O parasita, ou larva astral, não é uma enfermidade, mas tem chances de produzi-la, por ser uma criação mental virulenta, podendo ser transmitido para o corpo físico conforme o clima psíquico alimentado pelo homem.

Existem, igualmente, parasitas elaborados por inteligências sombrias, que conhecem as potencialidades da mente, embora as utilizem de maneira questionável. Parasitas e larvas podem ser criados pelo próprio homem, em atitudes e padrões mentais inferiores e de certa constância, que plasmam nos fluidos de sua atmosfera individual essas formas astrais que absorvem a energia vital. Há, também, aquelas larvas constituídas e sustentadas pela atitude mental coletiva e intensa — que se apresenta como uma nuvem de grandes proporções, a qual escurece e intoxica a atmosfera espiritual ou psíquica de certos lugares e comunidades inteiras. São criações absorvidas por aqueles que se encontram debilitados ou entram em sintonia com o mesmo padrão mental mórbido de tais substâncias, forjadas por mentes invigilantes e, muitas vezes, mantidas

---

sombras — intitulado *Criações enfermiças* —, texto que esclarece sobremaneira acerca de como se dá a elaboração de tais criaturas de vida artificial que acabam por minar as energias humanas, bem como de seu aproveitamento pelas entidades sombrias.

e potencializadas sob o influxo de inteligências desencarnadas viciosas. Podem manifestar-se no corpo físico como doenças infecciosas e agudas ou atuar em diversos distúrbios de natureza fluídica, que acometem o duplo etérico ou o perispírito, requerendo intensa ação magnética para eliminar seus efeitos, sempre daninhos.

a dor e
o sofrimento

HÁ COMO considerar o problema da dor como sendo basicamente de duas procedências, embora outras observações existam a respeito.

A primeira, como sendo o resultado natural do processo evolutivo. Toda vez que a consciência desperta para a ascese, ela empreende esforços para deixar as formas ou expressões inferiores a que estava acostumada, em troca de outras mais elaboradas e sutis, o que lhe causa, naturalmente, o incômodo ou o constrangimento próprio da luta pela ascensão, o qual a humanidade se acostumou a chamar de sofrimento ou dor.

Nessa classificação, podemos notar desde os esforços empreendidos pelo verme, que tenta sua subida nas entranhas da terra, vencendo os obstáculos naturais rumo aos raios solares que bafejam a superfície, até os esforços de meus irmãos, por abandonar as dificuldades íntimas nas várias manifestações de seu temperamento e de suas tendências, procurando melhorar-se, transformar-se conforme os ensinamentos do evangelho cósmico do amor, fato que lhes causa, naturalmente, o constrangimento do meio a que estavam acostumados, que igualmente denominam de dor moral.

Essas formas de sofrimento e de dor são, na verdade, o resultado natural que se deve a todo progresso e ascensão. Daí o fato de se dizer que, em mundos semelhantes à Terra, a dor é característica evolutiva, pois por enquanto é indispensável ao progresso das criaturas.

Contudo, existe outra espécie de sofrimento ou de dor, que, ao se expressar de forma física ou moral, quando bem compreendida e trabalhada, pode ser motivo de elevação ou, dependendo do posicionamento íntimo, tornar-se razão de queda e estagnação na marcha ascensional do espírito. É a dor-resgate, a dor e o sofrimento da expiação. São os incômodos físicos ou morais resultantes da conduta equivocada, tanto no passado recente como remoto, e da ação corretiva da lei da harmonia universal a que chamamos de carma, ao promover o reajustamento do meio afetado pelo comportamento humano com a natural reforma do indivíduo que deu origem ao desequilíbrio.

Nessa categoria estão as manifestações de débitos do pretérito, que se revelam, por exemplo, na enfermidade física ou nas deficiências de variadas ordens, que nada mais são do que a correção da parte para a harmonia do conjunto. Sob qualquer ângulo pelo qual se analise a questão das curas ou de uma medicina espiritualizada, há que se considerar o fator cármico, pois a esse imperativo da suprema lei não se pode furtar-se.

Vendo por essa ótica, a dor e o sofrimento não são sinônimos de elevação, mas atuam como bússola que nos indica o caminho a ser percorrido para a reconstrução daquilo de que no passado nós contribuímos para a desarmonização.

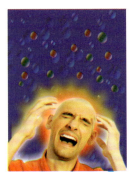

Esse tipo de sofrimento de que falamos não está nos planos originais da Suprema Consciência em relação aos seus filhos, encarnados ou desencarnados. Ele resulta unicamente da colheita obrigatória que a lei maior determina àqueles que semearam algo compatível ou semelhante à mesma dor.

Nesse capítulo incômodo da problemática humana, podemos observar a ação retificadora da lei do carma ou da harmonia universal. É igualmente aí que encontramos a grande maioria dos conflitos humanos, como resultado de uma ação equivocada; são os grandes dramas vivenciados no palco da vida.

A grande procura dos homens por milagres ou soluções sobrenaturais e imediatas para seus problemas resulta da ignorância, que lhes caracteriza a existência, quanto às leis que nos regem os destinos. Procura-se ficar livre do incômodo do sofrimento e das enfermidades, sem, contudo, querer reparar o erro que os gerou. Eis quando entra em ação o conhecimento espírita, a instrução racional quanto às leis que regulam no universo as relações entre os seres, as leis que nos facultam o entendimento da problemática humana.

Para solucionar as dificuldades que incomodam os meus irmãos, a instrução e a reeducação de suas consciências é o melhor remédio. Por isso, não nos cansamos de falar, ao longo dessas páginas, que a terapêutica do Evangelho é a única que conhecemos com eficácia para sanar as dores e os sofrimentos no panorama triste do planeta terreno, pois que, pelos seus esclarecimentos sábios, o homem poderá desenvolver o equilíbrio entre a razão, o sentimento e a emoção, necessário à sua elevação no seio do cosmos.

Certamente, existem aqueles sofrimentos resultantes de desejos não realizados, de endurecimentos íntimos em várias questões da vida ou de persistência em pontos de vista que desafiam a lógica e o bom senso. Mas aqui nos ocupamos apenas desses dois pontos essenciais, por guardarem mais relação com o conteúdo desta obra despretensiosa que ora ditamos. Um dos nossos objetivos é justamente desmistificar essas questões tão relevantes para a harmonia do homem integral.

A busca de si, o autodescobrimento, o autoconhecimento será a forma adequada de curar-se desses problemas enfrentados na caminhada evolutiva, sejam quais forem as suas procedências, pois o homem só será feliz à medida que desenvolver o otimismo, mesmo que, a seu lado, as situações se manifestem com intensidade constrangedora.

A dor desperta a alma para a necessidade de descobrir-se, de aperfeiçoar-se, mas só o amor, conquistado a partir do autoconhecimento, poderá elevar a criatura aos píncaros da vida, tangendo na alma as cordas sensíveis da realização superior.

a lei do carma e a reencarnação

Em todos os casos que envolvem a ação espiritual, não se poderá esquecer a existência da grande lei da palingenesia[61] e de sua ação através do tempo, pelos renascimentos do espírito, sempre vinculado ao seu passado.

Todas as existências são solidárias entre si, e nada nem ninguém pode burlar o cumprimento das leis que regem os renascimentos dos seres. O elo entre as várias existências físicas é regido, de forma inflexível, pela lei do carma ou, em sentido mais genérico, da ação e reação.

O carma é a lei da harmonia universal, que determina a ação retificadora para o reajustamento adequado daquele que tentou desviar-se do grande plano cósmico. A ação do carma é sempre positiva, embora, às vezes, seja necessário recorrer aos mecanismos da dor e do sofrimento a fim de

[61] Palingenesia (do grego *pálin* = repetição, de novo + *genes(e)* = nascimento) é sinônimo de reencarnação, ou seja, é o renascimento do indivíduo em vidas sucessivas.

*A prece: momento de sintonia com as forças
superiores do bem e da luz.*

despertar o indivíduo para a retomada do equilíbrio.

Quando, em alguma parte do cosmos, algo foge aos padrões eternos do bem e da ordem, a lei do carma entra em ação para promover o retorno da parte afetada à harmonia do conjunto. Eis que o retorno ou reajuste dessa parte, ao sofrer a interferência da Lei, poderá provocar os incômodos naturais devido à situação crítica em que o espírito se encontra, gerando-lhe dor e sofrimento. Essa dor, que algumas vezes poderá se traduzir em enfermidades, só cessará quando a consciência estiver reajustada aos ditames sublimes da lei cósmica.

É bom esclarecer aqueles que procuram as intervenções dos companheiros domiciliados no Mundo Maior quanto às suas necessidades de reajuste moral a fim de que cesse a força coerciva da Lei. Nada poderá ajudar mais nesses casos que o esclarecimento dessas consciências quanto às suas responsabilidades e sua realidade espiritual. Qualquer promessa de cura ou melhora soará falsa, de vez que os companheiros espirituais, conhecedores dos mecanismos da divina lei, não poderão derrogar seus estatutos eternos nem impedir que o transgressor do passado seja recambiado ao caminho do bem e da eqüidade.

Nesses casos, em que a suprema lei estiver interferindo para o benefício do indivíduo, a dor será o processo de reajuste necessário, e nem mesmo a interferência de amigos espirituais poderá eximir os meus irmãos de passarem pelo processo natural — embora, muitas vezes, o comportamento, as vibrações elevadas e a transformação íntima real possam amenizar o andamento da ação cármica, até porque, nesse exato momento, esses mesmos irmãos da Vida Maior poderão interceder ante os imortais que coordenam nossos destinos a fim de amenizar a prova. No entanto, nunca poderão interferir definitivamente, pois isso é prerrogativa da Lei, que o fará somente após o completo reajuste da parte afetada — nesse caso, o homem —, o que se dará por meio do corretivo abençoado do sofrimento, a fim de despertar o ser para a necessidade de retomar o caminho do amor, única forma de se reabilitar perante a própria consciência.

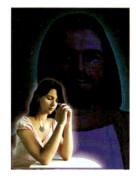

Levando-se em conta essa realidade, o cuidado que se deve ter com as promessas de cura de enfermidades é sobremodo ampliado quando se considera a ação benéfica do carma, pois, mesmo tendo uma visão ampla da problemática dos meus irmãos, os desencarnados responsáveis jamais prometem curas ou resoluções de problemas, pois a ação das inteligências extrafísicas que estão a serviço do Cristo não se submete aos caprichos humanos, e, mesmo detendo recursos que possam desafiar os atuais progressos da ciência terrena, as interferências serão consideradas à luz das conquistas e do merecimento de cada um, ou da necessidade ante os impositivos da Lei.

Não nos esqueçamos da terapia do amor, apresentada

pelo Cristo como forma de sanar todos os males do panorama da Terra, e entreguemo-nos à sua vontade soberana, pois que ele é o Divino Médico de nossas almas, que, com certeza, saberá ministrar o medicamento adequado ao nosso reajustamento interior.

Na visão cósmica que nos proporciona o espiritismo, ao nos esclarecer quanto às leis do carma e dos renascimentos, podemos apreciar que a dor, as dificuldades, o lar difícil, o patrão complicado ou o filho problema são recursos medicamentosos necessários àqueles que se encontram distantes dos ideais nobilitantes, os que ainda precisam das dificuldades diárias, como doses homeopáticas, para que não resvalem pelos precipícios das realizações inferiores. A cada caso é ministrado o remédio correspondente, e a lei que tudo governa jamais erra no remédio empregado, embora esse mesmo medicamento possa se manifestar amargo ao paladar. É a reação referente ao nosso passado, que emerge de nossa intimidade, reclamando o reajuste.

perguntas e respostas

1. Ao falar que a desordem não tem lugar no universo, como entender as misérias, os desequilíbrios e o estado caótico muitas vezes observado em várias situações da vida?

Compreendamos o mecanismo da vida universal. Quando meus irmãos observam as diversas situações a que se referem, podem apenas visualizar o que se passa em sua proximidade, sem, contudo, contemplar o conjunto das circunstâncias que geraram o que se chama de desarmonia. A própria dor e o sofrimento que se observam no mundo são o resultado da lei de harmonia geral, atuando de forma a reconduzir a parte afetada à harmonia do conjunto. Existe, igualmente, o que se chama de sofrimento coletivo, resultado das mudanças sofridas pela constituição primitiva do orbe terreno, como no caso de furacões, vulcões, tornados, terremotos, maremotos e outros, em que a natureza se ressente ainda, devido à própria constituição íntima do globo, e que causa, como é natural, vários transtornos à população do planeta. Isso, no entanto, já é previsto no grande esquema evolutivo da Terra, pois assim os espíritos que têm necessidade de passar por tais processos de despertamento são conduzidos, através da reencarnação, a esses locais, a fim de experimentarem o que já está determinado pela Lei, visando à harmonia do próprio ser. O que acontece é que meus irmãos só analisam as coisas materiais e visíveis, sem observar o todo, que se constitui em outras dimensões e em outras vidas, que é a realidade do universo. Leiam Allan Kardec e entenderão do que falamos. Só o estudo das leis universais irá fazê-los entender o princípio de equilíbrio do qual falamos.

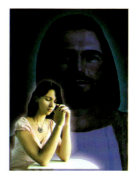

2. O retorno do homem à harmonia da vida não se dá muito tardiamente, considerando a necessidade de harmonização com o conjunto?

Novamente ignoram o que se passa nos planos da Suprema Consciência. Nada acontece, em qualquer parte do mundo, que não esteja, de antemão, previsto no grande esquema do universo. Dessa forma, podemos entender que tudo acontece dentro do tempo previsto pela divina vontade. Esse retorno de que falam também já foi previsto no plano divino, ou meus irmãos pensam que algo pode acontecer sem que Deus o saiba com antecedência? Portanto, nada acontece atrasado, do ponto de vista universal. Dentro da visão humana, que é bem restrita, até poderá parecer que algo está demorando a acontecer, que alguma coisa fuja ao controle, mas mesmo as coisas consideradas insignificantes por meus irmãos são fatos consumados na mente eterna de Deus, que tudo sabe e orienta para o bem e a felicidade de seus filhos.

3. Sendo o homem a causa do próprio mal que vivencia, como eliminar esse mal de sua intimidade, sendo que até hoje se demonstra difícil a realização dessa tarefa, apesar de todas as fórmulas apresentadas por místicos e religiosos de todos os tempos?

A maneira correta e prática de eliminar-se a causa do mal já foi apresentada pelo Mestre Divino e relembrada pelos espíritos sublimes que orientaram a codificação espírita, especialmente na questão 919 de *O livro dos espíritos*, a qual nos conduz ao autoconhecimento, a fim de modificarmos as disposições interiores. Mas as propostas apresentadas ao longo do tempo da história humana, baseadas no ensinamento evangélico, só se tornaram difíceis por se considerar a vida do ponto de vista da unicidade da existência, pois, com a verdade reencarnacionista, entende-se que é através das várias experiências reencarnatórias que se conseguirá o tão almejado propósito de aprendizado, de evolução e de renovação interior. As fórmulas falham quando nós esperamos resultados imediatos e forçados, que venham ferir a própria capacidade do ser humano de autotransformação. Ainda aqui, é preciso que se entenda a proposta do Cristo, pois os seus seguidores de todos os tempos, que alcançaram a iluminação espiritual, não o conseguiram em apenas uma existência física, mas ao longo de outras etapas da vida, em muitas reencarnações. Um Francisco de Assis, uma Tereza d'Ávila, um Vicente de

Paulo não foram o produto de uma transformação brusca e imediata, mas o resultado de lutas e mais lutas íntimas, do trabalho constante de seus espíritos ao longo de séculos de aprimoramento espiritual. É ainda necessário estudar Kardec para entender esse ensinamento.

4. Como devemos encarar as dificuldades que enfrentamos e que geram esses distúrbios tão comuns nos nossos dias?

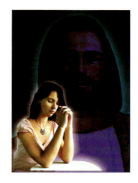

Qualquer dificuldade deve ser vista como um desafio para se atingirem etapas mais amplas nas experiências da vida, pois é somente pela luta constante nos meios adversos que se chegará à maturidade psíquica ou emocional, obtendo-se o estado de saúde íntima que todos almejam.

5. Por que motivo espíritos que desencarnaram na Alemanha, como o irmão, preferiram trabalhar no Brasil a favor da humanidade, e não continuar sua tarefa no mesmo país onde viveram sua última encarnação?

Os espíritos que escolheram trabalhar no Brasil não abandonaram aqueles que ficaram reencarnados na pátria onde viveram sua última experiência física. Acontece que, deste lado da vida, pelo menos para os espíritos de minha esfera, não temos as barreiras geográficas, que demarcam os continentes e países da Terra. Por isso, não nos importa a latitude geográfica em que estivermos para a realização da tarefa que nos foi confiada pelo Alto. No entanto, espíritos experimentados em diversas reencarnações, em várias partes do planeta, reencarnaram no Brasil, trazendo na alma as experiências espirituais que fazem do povo brasileiro um povo mais fraterno e mais experiente nas questões espirituais, facilitando para nós a sementeira do bem imortal, por encontrarmos, nessas almas, o terreno

MEDICINA DA ALMA

[62] Allan Kardec desenvolve extensamente o tema *Autoridade da doutrina espírita* na *Introdução* a *O Evangelho segundo o espiritismo*. Declara o Codificador que os princípios espíritas chegaram aos homens de forma rápida e autêntica porque os espíritos manifestaram-se "por toda parte, sem dar a ninguém o privilégio exclusivo de ouvir a sua palavra".

Os espíritos comunicam-se a todos os povos, a todas as seitas, e, assim, seus ensinamentos são conhecidos de todos. Reconhecemos os conceitos espíritas ditos de diferentes modos, em diversas épocas, por pessoas de todos os tipos. Desde civilizações antigas, até a mídia do séc. XXI, através do cinema, da TV, da música e do livro, os espíritos chegam a todos os pontos, utilizando-se de linguagem compatível com a cultura e o tempo.

A *universalidade do ensino dos espíritos* é o que dá autoridade ao espiritismo, pois milhões de vozes se fazem ouvir simultaneamente, em todo o globo, para proclamar os mesmos princípios.

Dessa forma, o *controle da universalidade dos ensinamentos* é a forma proposta por Allan Kardec para decidir diante de contradições e dissidências. Já estava prevenido, há 150 anos, contra um erro tão

---

íntimo adequado para que possamos trabalhar. Isso não faz do Brasil um país privilegiado, mas o faz mais responsável ante as outras nações da Terra, devido ao crédito de confiança que o Alto depositou nas mãos do povo brasileiro.

6. Gostaríamos de saber algo a respeito de algumas mensagens contidas neste livro. Parece-nos haver visto algo semelhante em outras obras. Poderia esclarecer-nos?

Não sejam meus irmãos tão pretensiosos ao ponto de julgarem que estamos ditando alguma revelação ou novidade para vocês. Nem mesmo estamos utilizando apenas este médium, que, no caso, é apenas mais um médium que se afiniza conosco. Muitas mensagens, que ora ditamos através dele, já foram ventiladas por nossa equipe espiritual, com palavras e conteúdo semelhantes, através da intuição ou outra forma de manifestação mediúnica, mas que foram captadas e organizadas conforme a necessidade que se fez em época apropriada.

Nada é exatamente novo. E, mais ainda, nunca tivemos a intenção de utilizarmos apenas um médium para falarmos a mesma verdade. Não damos certificado de propriedade a nenhum médium. Portanto, é muito comum que meus irmãos encontrem referências semelhantes às que fazemos, em outros locais, através de outros médiuns e, quem sabe, através de outros espíritos. Essa, a grandeza da Revelação espírita, a universalidade[62] do conhecimento trazido pelos desencarnados, em locais ou épocas diferentes e através de pessoas diferentes, falando a mesma verdade e com palavras até mesmo semelhantes, mas que possam refletir o nosso pensamento.

Naturalmente, encontramos alguma dificuldade através deste médium, no que concerne a alguns temas desenvolvidos, mesmo que ele seja *mecânico*, conforme a definição espírita; contudo, nos esforçamos para que essas dificuldades não interfiram no conteúdo da obra. Se essas mensagens ajudarem a uma única pessoa, já estaremos satisfeitos quanto aos resultados.

comum: o de acreditar na infalibilidade da afirmativa de determinado espírito. Sabia o Codificador que os espíritos não possuem, individualmente, a verdade; que seu saber é proporcional a sua elevação; que mostram diferenças quanto à capacidade; que, entre os espíritos, há os presunçosos e os falsos sábios; que os embusteiros não têm escrúpulos de se esconder atrás de nomes emprestados, que impressionam os desavisados. Por isso, devem-se submeter todas as afirmações dos espíritos, primeiramente, ao controle da razão; a seguir, é preciso examinar a concordância no ensino, o que Kardec explicita, na *Introdução* mencionada: "A única garantia segura do ensino dos espíritos está na concordância das revelações feitas *espontaneamente*, através de um *grande número* de médiuns, *estranhos* uns aos outros, e em *diversos* lugares" (grifos nossos).

Não há como negar o bom-senso dessa assertiva. Lamentavelmente identificamos, em muitos setores do movimento espírita, e não só nele, negligência diante de situações que previstas pelo Codificador, que tratou delas, como sempre, com lucidez e objetividade. Kardec precisa ser relido e estudado por aqueles que se dizem seus seguidores. Não achamos demais acrescentar outro alerta, na mesma *Introdução*, por achar que contrasta com muitas posturas atuais:

"Esta é a base em que nos apoiamos, para formular um princípio da doutrina. Não é por concordar ele com as nossas idéias que o damos como verdadeiro. Não nos colocamos, absolutamente, como árbitro supremo da verdade, e não dizemos a ninguém: 'Crede em tal coisa, porque nós vo-la dizemos'. Nossa opinião não é, aos nossos próprios olhos, mais do que uma opinião pessoal, que pode ser justa ou falsa, porque não somos mais infalíveis do que os outros. E não é também porque um princípio nos foi ensinado que o consideramos verdadeiro, mas porque ele recebeu a sanção da concordância".

CONCLUSÃO

problemas da atualidade

O HOMEM não está só no universo. A vida em sociedade impõe-lhe deveres para com o seu semelhante, além daqueles que deverá desenvolver para consigo mesmo e com o meio em que vive. Entretanto, os excessos e abusos cometidos em cada existência física criam cúmulos energéticos, que passam a integrar-se às zonas profundas do psiquismo, de forma a liberar, em cada vida, os diversos problemas de ordem psicológica ou física que guardam suas raízes nesse passado em que muitas vezes o ser delinqüiu.

Novamente, e por impositivo da evolução, ele é reconduzido ao palco da vida, onde reencontra aqueles com quem conviveu em seu passado, juntamente com os conflitos daí advindos. Eis que seus problemas e dificuldades íntimas se fazem presentes no mesmo grupo a que está vinculado, por impositivo de sua evolução espiritual.

Decepções, traumas, amarguras e ódios encontram, nessa vida de relação, o clima psíquico adequado para emergir dos porões da subconsciência para a realidade objetiva da existência, sendo, na maioria das vezes, somatizados conforme a experiência vivida. O homem encontra-se prisioneiro do seu passado e torna-se vítima de si mesmo, até que venha a libertar-se pelo amor, que destrói as algemas que o mantêm prisioneiro.

As dores e enfermidades surgem no drama da vida como agentes da justiça maior ou como impulsos para o progresso de povos e indivíduos, a fim de que nesse cadinho purificador possam meus irmãos despertar sua consciência, expressão máxima de sua individualidade eterna.

Para a solução dessas dificuldades, surgiram no mundo as contribuições da psicologia, da psiquiatria e da psicanálise, convidando o homem, ainda que indiretamente, para o conhecimento de si e para realizar a grande viagem em direção ao Eu, numa tradução da proposta de autodescoberta trazida desde sempre pelos Imortais e claramente expressa na doutrina espírita.

Mas essas luzes foram logo ofuscadas pelo orgulho e pelas pretensões humanas, perdendo-se o homem novamente nos labirintos sombrios da incredulidade, do misticismo e do tecnicismo científico, bem como do egocentrismo e da ignorância que ainda dominam a maioria dos homens de ciência quanto à realidade energética do ser imortal.

O espiritismo, com sua moderna terapia de otimismo e redescoberta dos valores imortais, lança novas luzes que satisfazem a razão e podem promover a renovação interna da alma, retomando conceitos que foram abandonados ao longo do tempo. Surge então como impulso que engrandece os postulados científicos com os princípios de imortalidade, de reencarnação, das leis morais e da existência de uma dimensão além da física, abrindo novos campos de pesquisa para os modernos terapeutas, que já não podem ignorar esse conhecimento que a Doutrina coloca à disposição dos homens. Devassa, igualmente, pela mediunidade um novo aspecto da vida humana, antes e após a experiência somática: um mundo de energias, vida e inteligências além das fronteiras estreitas de dimensões físicas, descortinando outros campos vibratórios onde a consciência atua em corpos mais sutis e que igualmente não podem ser ignorados. O espiritismo aproxima a ciência do espírito, transcendentalizando-a rumo a novo porvir. O futuro pertence ao espírito, e as diversas terapias que proliferam neste início de milênio e de uma nova era serão irrigadas com o sopro renovador dos imortais que tudo dirigem, objetivando levar o homem a descobrir seu verdadeiro papel na humanidade e integrá-lo ao conhecimento de si, para a sua plenificação como filho de Deus.

bibliografia
das notas

DICIONÁRIO *eletrônico Houaiss da língua portuguesa*. Objetiva, 2001.

DICIONÁRIO *Aurélio eletrônico século XXI*. 1999.

A pronúncia do sânscrito. Disponível em <www.portaldeyoga.com.br/sanscrito.php>. Acesso em 5/3/2007. (Sem menção de autoria.)

AMARAL, Júlio Rocha do e Oliveira, Jorge Martins de. *Sistema límbico: o centro das emoções*. <www.cerebromente.org.br/n05/mente/estados.htm>. Acesso em 11/2/2007.

ANDREA, Jorge. *Ectoplasma*. Disponível em <www.cvdee.org.br/artigostexto.asp?id=087>. Acesso em 21/2/2007.

AZEVEDO, José Lacerda de. *Espírito/matéria: novos horizontes para a medicina*. Porto Alegre: Casa do Jardim, 2005. 2ª edição revista e ampliada.

_____. *Energia e espírito*. Porto Alegre: Casa do Jardim, 1985.

BACH, Edward. *Os remédios florais do Dr. Bach*. São Paulo: Editora Pensamento.

BORGES, A. Merci Spada. *Doutrina espírita no tempo e no espaço. 800 verbetes especializados*. 2ª ed. São Paulo: Editora Panorama, 2001.

BORGES, Valter da Rosa. *Epistemologia parapsicológica. Uma nova proposta conceitual para o fenômeno de psi-gama*. Disponível em <www.parapsicologia.org.br/artigo61.htm>. Acesso em 31/1/2007.

252 MEDICINA DA ALMA

CAMPBELL, Eileen e Brennan, J. H. *Dicionário da mente, do corpo e do espírito.* 1ª ed. São Paulo: Mandarim, 1997.

CHIBENI, Silvio Seno. *A excelência metodológica do espiritismo.* Artigo publicado em *Reformador*, novembro de 1988, pp. 328-33 e dezembro de 1988, pp. 373-78.

CREMA, Roberto. *Introdução à visão holística.* São Paulo: Summus, 1989.

FAUSTO, Carmen Silvia Cerqueira do Val *et alli. Timo: caracterização ultra-sonográfica.* Disponível em <www.scielo.br/pdf/rb/v37n3/20547.pdf>. Acesso em 19/3/2007.

FIGUEIREDO, Paulo Henrique de. *Mesmer, a ciência negada e os textos escondidos.* São Paulo: Lachâtre, 2005.

GUIMARÃES, Luiz P. (org.) *Vade mecum espírita.* 7ª edição. São Paulo: FAE, 2002.

INCONTRI, Dora. *Pestalozzi: Educação e ética.* São Paulo: Scipione, 1997.

KARDEC, Allan. *A gênese, os milagres e as predições segundo o espiritismo.* 18ª ed. São Paulo: Lake, 1997.

_____. *Definições espíritas.* 1ª ed. Niterói: Publ. Lachâtre, 1997.

_____. *O Evangelho segundo o espiritismo.* Capivari: Ed. EME, 1997.

_____. *O livro dos espíritos.* 72ª ed. Rio de Janeiro: FEB.

_____. *O livro dos médiuns.* 58ª ed. Rio de Janeiro: FEB.

_____. *O que é o espiritismo.* 25ª ed. São Paulo: Lake, 1998.

_____. *Obras póstumas.* 27ª ed. Rio de Janeiro: FEB.

_____. *Revista espírita: jornal de estudos psicológicos.* 12 volumes (1858-1869). 1ª edição. IDE, 1993.

KULCHESKI, Edvaldo. *A ciência e o espiritismo.* Disponível em <www.espirito.org.br/portal/artigos/diversos/ciencia/a-ciencia-e-o-espiritismo. html>. Acesso em 31/1/2007.

MENEZES, Graça. *Fisiologia do pensamento*. Disponível em <www.ame-porto.org/pt/artigos/artigo11.htm>. Acesso em 3/3/2007.

PALHANO JR., Lamartine. *Dicionário de filosofia espírita*. Rio de Janeiro: Celd, 1997.

_____. *Teologia espírita*. 1ª ed. Rio de Janeiro: Celd, 2001.

PINHEIRO, Robson. Pelo espírito Joseph Gleber. *Além da matéria*. 1ª ed. Contagem: Casa dos Espíritos Editora, 2003.

_____. Pelo espírito Alex Zarthú. Gestação da Terra. 1ª ed. Contagem: Casa dos Espíritos Editora, 2002.

_____. Pelo espírito Alex Zarthú. *Superando os desafios íntimos*. 1ª ed. Contagem: Casa dos Espíritos Editora, 2006.

_____. Pelo espírito Ângelo Inácio. *Aruanda*. 1ª ed. Contagem: Casa dos Espíritos Editora, 2004.

_____. Pelo espírito Ângelo Inácio. *Legião: um olhar sobre o reino das sombras*. 1ª ed. Contagem: Casa dos Espíritos Editora, 2006.

_____. Pelo espírito Franklim. *Canção da Esperança*. 2ª ed. Contagem: Casa dos Espíritos Editora, 2002.

PIVA, Betina. *Toque de Midas*. Disponível em <istoe.terra.com.br/plane-tadinamica/site/exclusivo.asp?id=20>. Acesso em 5/2/2007.

RODRIGUES, José Alfredo. *Perispírito, centros vitais e aura*. Disponível em <www.espirito.org.br/portal/artigos/diversos/mediunidade/perispirito.html>. Acesso em 31/1/2007.

SALDANHA, Vera. *A psicoterapia transpessoal*. 1ª ed. Rio de Janeiro: Record: Rosa dos Tempos, 1999.

SAVATER, Fernando. *Ética para meu filho*. São Paulo: Martins Fontes, 2004.

TACCOLINI, Marcos. *Sobre a grafia da palavra Yoga*. Disponível em<www.yoganataraja.com.br/artigo_completo.php? id=9>. Acesso em

5/3/2007.

XAVIER Jr., Ademir L. *Algumas considerações oportunas sobre a relação espiritismo-ciência*. Artigo publicado em *Reformador* de agosto de 1995, pp. 244-46.

XAVIER, Francisco Cândido e Vieira, Waldo. Pelo espírito André Luiz. *Evolução em dois mundos*. 17ª ed. Rio de Janeiro: FEB, 1999.

XAVIER, Francisco Cândido. Pelo espírito André Luiz. *Nosso lar*. 55ª ed. Rio de Janeiro: FEB, 2005, cap. 36: *O sonho*.

WEBSITES CONSULTADOS:

pt.wikipedia.org
www.bibliacatolica.com.br
www.casadojardim.com.br
www.espirito.org.br
www.fraternidaderosacruz.com.br
www.grandefraternidadebranca.com.br
www.kirlian.com.br
www.sbapometria.com.br

Transcenda-se. Para o catálogo completo, acesse www.casadosespiritos.com

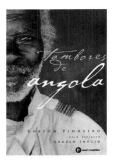

TAMBORES DE ANGOLA | *Coleção Segredos de Aruanda, vol. 1*
A ORIGEM HISTÓRICA DA UMBANDA E DO ESPIRITISMO
ROBSON PINHEIRO *pelo espírito Ângelo Inácio*

Uma visita a bases das trevas e a uma agência de vinganças do umbral. Conhecerá magnetismo como poderosa ferramenta para desequilibrar consciências e observará o trabalho redentor dos espíritos — índios, negros, soldados, médicos — e de médiuns que enfrentam o mal com determinação e coragem. A primeira obra espírita a mostrar a origem histórica e as diferenças entre umbanda e espiritismo, respeitosamente.

ISBN: 978-85-87781-21-5 • ROMANCE MEDIÚNICO • 1998 • 256 PÁGS. • BROCHURA • 14 X 21CM

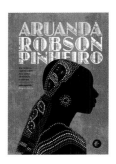

ARUANDA | *Coleção Segredos de Aruanda, vol. 2*
UM ROMANCE ESPÍRITA SOBRE PAIS-VELHOS, ELEMENTAIS E CABOCLOS
ROBSON PINHEIRO *pelo espírito Ângelo Inácio*

Por que as figuras do negro e do indígena — pretos-velhos e caboclos —, tão presentes na história brasileira, incitam controvérsia no meio espírita e espiritualista? Compreenda os acontecimentos que deram origem à umbanda, sob a ótica espírita. Conheça a jornada de espíritos superiores para mostrar, acima de tudo, que há uma só bandeira: a do amor e da fraternidade.

ISBN: 978-85-99818-11-4 • ROMANCE MEDIÚNICO • 2004 • 245 PÁGS. • BROCHURA • 16 X 23CM

CORPO FECHADO | *Coleção Segredos de Aruanda, vol. 3*
ROBSON PINHEIRO *pelo espírito W. Voltz, orientado pelo espírito Ângelo Inácio*

Reza forte, espada-de-são-jorge, mandingas e patuás. Onde está a linha divisória entre verdade e fantasia? Campos de força determinam a segurança energética. Ou será a postura íntima? Diante de tantas indagações, crenças e superstições, o espírito Pai João devassa o universo interior dos filhos que o procuram, apresentando casos que mostram incoerências na busca por proteção espiritual.

ISBN: 978-85-87781-34-5 • ROMANCE MEDIÚNICO • 2009 • 303 PÁGS. • BROCHURA • 16 X 23CM

LEGIÃO | *Trilogia O Reino das Sombras, vol. 1*
UM OLHAR SOBRE O REINO DAS SOMBRAS ROBSON PINHEIRO *pelo espírito Ângelo Inácio*

Veja de perto as atividades dos representantes das trevas, visitando as regiões subcrustais na companhia do autor espiritual. Sob o comando dos dragões, espíritos milenares e voltados para o mal, magos negros desenvolvem sua atividade febril, organizando investidas contra as obras da humanidade. Saiba como os enfrentam esses e outros personagens reais e ativos no mundo astral.

ISBN: 978-85-99818-19-0 • ROMANCE MEDIÚNICO • 2006 • 502 PÁGS. • BROCHURA • 14 X 21CM

SENHORES DA ESCURIDÃO | *Trilogia O Reino das Sombras, vol. 2*
ROBSON PINHEIRO *pelo espírito Ângelo Inácio*

Das profundezas extrafísicas, surge um sistema de vida que se opõe às obras da civilização e à política do Cordeiro. Cientistas das sombras querem promover o caos social e ecológico para, em meio às guerras e à poluição, criar condições de os senhores da escuridão emergirem da subcrosta e conduzirem o destino das nações. Os guardiões têm de impedi-los, mas não sem antes investigar sua estratégia.

ISBN: 978-85-87781-31-4 • ROMANCE MEDIÚNICO • 2008 • 676 PÁGS. • BROCHURA • 14 X 21CM

A MARCA DA BESTA | *Trilogia O Reino das Sombras, vol. 3*
ROBSON PINHEIRO *pelo espírito Ângelo Inácio*

Se você tem coragem, olhe ao redor: chegaram os tempos do fim. Não o famigerado fim do mundo, mas o fim de um tempo – para os dragões, para o império da maldade. E o início de outro, para construir a fraternidade e a ética. Um romance, um testemunho de fé, que revela a força dos guardiões, emissários do Cordeiro que detêm a propagação do mal. Quer se juntar a esse exército? A batalha já começou.

ISBN: 978-85-99818-08-4 • ROMANCE MEDIÚNICO • 2010 • 640 PÁGS. • BROCHURA • 14 X 21CM

Além da matéria
Uma ponte entre ciência e espiritualidade
Robson Pinheiro *pelo espírito Joseph Gleber*

Exercitar a mente, alimentar a alma. *Além da matéria* é uma obra que une o conhecimento espírita à ciência contemporânea. Um tratado sobre a influência dos estados energéticos em seu bem-estar, que lhe trará maior entendimento sobre sua própria saúde. Físico nuclear e médico que viveu na Alemanha, o espírito Joseph Gleber apresenta mais uma fonte de autoconhecimento e reflexão.

ISBN: 978-85-99818-13-8 • SAÚDE E MEDIUNIDADE • 2003/2011 • 320 PÁGS. • BROCHURA • 16 X 23CM

Medicina da alma
Saúde e medicina na visão espírita
Robson Pinheiro *pelo espírito Joseph Gleber*

Com a experiência de quem foi físico nuclear e médico, o espírito Joseph Gleber, desencarnado no Holocausto e hoje atuante no espiritismo brasileiro, disserta sobre a saúde segundo o paradigma holístico, enfocando o ser humano na sua integralidade. Edição revista e ampliada, totalmente em cores, com ilustrações inéditas, em comemoração aos 150 anos do espiritismo [1857-2007].

ISBN: 978-85-87781-25-3 • SAÚDE E MEDIUNIDADE • 1997 • 254 PÁGS. CAPA DURA E EM CORES • 17 X 24CM

A alma da medicina
Robson Pinheiro *pelo espírito Joseph Gleber*

Com a autoridade de um físico nuclear que resolve aprender medicina apenas para se dedicar ao cuidado voluntário dos judeus pobres na Alemanha do conturbado período entre guerras, o espírito Joseph Gleber não deixa espaço para acomodação. Saúde e doença, vida e morte, compreensão e exigência, sensibilidade e firmeza são experiências humanas cujo significado clama por revisão.

ISBN: 978-85-99818-32-9 • SAÚDE E MEDIUNIDADE • 2014 • 416 PÁGS. • BROCHURA • 16 X 23CM

CONSCIÊNCIA
EM MEDIUNIDADE, VOCÊ PRECISA SABER O QUE ESTÁ FAZENDO
ROBSON PINHEIRO *pelo espírito Joseph Gleber*

Já pensou entrevistar um espírito a fim de saciar a sede de conhecimento sobre mediunidade? Nós pensamos. Mais do que saciar, Joseph Gleber instiga ao tratar de materialização, corpo mental, obsessões complexas e apometria, além de animismo – a influência da alma do médium na comunicação –, que é dos grandes tabus da atualidade.

ISBN: 978-85-99818-06-0 • SAÚDE E MEDIUNIDADE • 2007 • 288 PÁGS. • BROCHURA • 16 X 23CM

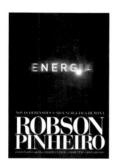

ENERGIA
NOVAS DIMENSÕES DA BIOENERGÉTICA HUMANA
ROBSON PINHEIRO *sob orientação dos espíritos Joseph Gleber, André Luiz e José Grosso*

Numa linguagem clara e direta, o médium Robson Pinheiro faz uso de sua experiência de mais de 25 anos como terapeuta holístico para ampliar a visão acerca da saúde plena, necessariamente associada ao conhecimento da realidade energética. Anexo com exercícios práticos de revitalização energética, ilustrados passo a passo.

ISBN: 978-85-99818-02-2 • SAÚDE E MEDIUNIDADE • 2008 • 238 PÁGS. • BROCHURA • 16 X 23CM

APOCALIPSE
UMA INTERPRETAÇÃO ESPÍRITA DAS PROFECIAS
ROBSON PINHEIRO *pelo espírito Estêvão*

O livro profético como você nunca viu. O significado das profecias contidas no livro mais temido e incompreendido do Novo Testamento, analisado de acordo com a ótica otimista que as lentes da doutrina espírita proporcionam. O autor desconstrói as imagens atemorizantes das metáforas bíblicas e as decodifica.

ISBN: 978-85-87781-16-1 • JESUS E O EVANGELHO • 1997 • 272 PÁGS. • BROCHURA • 16 X 23CM

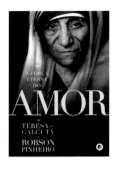

A FORÇA ETERNA DO AMOR
ROBSON PINHEIRO *pelo espírito Teresa de Calcutá*

"O senhor não daria banho em um leproso nem por um milhão de dólares? Eu também não. Só por amor se pode dar banho em um leproso". Cidadã do mundo, grande missionária, Nobel da Paz, figura inspiradora e controvertida. Desconcertante, veraz, emocionante: esta é Teresa. Se você a conhece, vai gostar de saber o que pensa; se ainda não, prepare-se, pois vai se apaixonar. Pela vida.

ISBN: 978-85-87781-38-3 • AUTOCONHECIMENTO • 2009 • 318 PÁGS. • BROCHURA • 16 X 23CM

PELAS RUAS DE CALCUTÁ
ROBSON PINHEIRO *pelo espírito Teresa de Calcutá*

"Não são palavras delicadas nem, tampouco, a repetição daquilo que você deseja ouvir. Falo para incomodar". E é assim, presumindo inteligência no leitor, mas também acomodação, que Teresa retoma o jeito contundente e controvertido e não poupa a prática cristã de ninguém, nem a dela. Duvido que você possa terminar a leitura de *Pelas ruas de Calcutá* e permanecer o mesmo.

ISBN: 978-85-99818-23-7 • AUTOCONHECIMENTO • 2012 • 368 PÁGS. • BROCHURA • 16 X 23CM

MULHERES DO EVANGELHO
E OUTROS PERSONAGENS TRANSFORMADOS PELO ENCONTRO COM JESUS
ROBSON PINHEIRO *pelo espírito Estêvão*

A saga daqueles que tiveram suas vidas transformadas pelo encontro com Jesus, contadas por quem viveu na Judeia dos tempos do Mestre. O espírito Estêvão revela detalhes de diversas histórias do Evangelho, narrando o antes, o depois e o que mais o texto bíblico omitiu a respeito da vida de personagens que cruzaram os caminhos do Rabi da Galileia.

ISBN: 978-85-87781-17-8 • JESUS E O EVANGELHO • 2005 • 208 PÁGS. • BROCHURA • 14 X 21CM

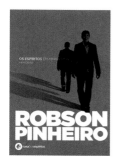

OS ESPÍRITOS EM MINHA VIDA
ROBSON PINHEIRO *editado por Leonardo Möller*

Relacionar-se com os espíritos. Isso é mediunidade, muito mais do que simples fenômenos. A trajetória de um médium e sua sintonia com os Imortais. As histórias, as experiências e os espíritos na vida de Robson Pinheiro. Inclui CD: os espíritos falam na voz de Robson Pinheiro: Joseph Gleber, José Grosso, Palminha, Pai João de Aruanda, Zezinho e Exu Veludo.

ISBN: 978-85-87781-32-1 • MEMÓRIAS • 2008 • 380 PÁGS. • BROCHURA • 16 X 23CM

OS DOIS LADOS DO ESPELHO
ROBSON PINHEIRO *pelo espírito de sua mãe Everilda Batista*

Às vezes, o contrário pode ser certo. Questione, duvide, reflita. Amplie a visão sobre a vida e sobre sua evolução espiritual. Aceite enganos, trabalhe fraquezas. Não desvie o olhar de si mesmo. Descubra seu verdadeiro reflexo, dos dois lados do espelho. Everilda Batista, pelas mãos de seu filho Robson Pinheiro. Lições da mãe e da mulher, do espírito e da serva do Senhor. Uma amiga, uma professora nos dá as mãos e nos convida a pensar.

ISBN: 978-85-99818-22-0 • AUTOCONHECIMENTO • 2004/2012 • 208 PÁGS. • BROCHURA • 16 X 23CM

SOB A LUZ DO LUAR
UMA MÃE NUMA JORNADA PELO MUNDO ESPIRITUAL
ROBSON PINHEIRO *pelo espírito de sua mãe Everilda Batista*

Um clássico reeditado, agora em nova edição revista. Assim como a Lua, Everilda Batista ilumina as noites em ajuda às almas necessitadas e em desalento. Participando de caravanas espirituais de auxílio, mostra que o aprendizado é contínuo, mesmo depois desta vida. Ensina que amar e servir são, em si, as maiores recompensas da alma. E que isso é a verdadeira evolução.

ISBN: 978-85-87781-35-2 • ROMANCE MEDIÚNICO • 1998 • 264 PÁGS. • BROCHURA • 14 X 21CM

O PRÓXIMO MINUTO
ROBSON PINHEIRO *pelo espírito Ângelo Inácio*

Um grito em favor da liberdade, um convite a rever valores, a assumir um ponto de vista diferente, sem preconceitos nem imposições, sobretudo em matéria de sexualidade. Este é um livro dirigido a todos os gêneros. Principalmente àqueles que estão preparados para ver espiritualidade em todo comportamento humano. É um livro escrito com coração, sensibilidade, respeito e cor. Com todas as cores do arco-íris.

ISBN: 978-85-99818-24-4 • ROMANCE MEDIÚNICO • 2012 • 473 PÁGS. • BROCHURA • 16 X 23CM

MAGOS NEGROS
MAGIA E FEITIÇARIA SOB A ÓTICA ESPÍRITA
ROBSON PINHEIRO *pelo espírito Pai João de Aruanda*

O Evangelho conta que Jesus amaldiçoou uma figueira, que dias depois secou até a raiz. Por qual razão a personificação do amor teria feito isso? Você acredita em feitiçaria? – eis a pergunta comum. Mas será a pergunta certa? Pai João de Aruanda, pai-velho, ex-escravo e líder de terreiro, desvenda os mistérios da feitiçaria e da magia negra, do ponto de vista espírita.

ISBN: 978-85-99818-10-7 • SAÚDE E MEDIUNIDADE • 2011 • 394 PÁGS. • CAPA DURA • 16 X 23CM

CREPÚSCULO DOS DEUSES
UM ROMANCE HISTÓRICO SOBRE A VINDA
DOS HABITANTES DE CAPELA PARA A TERRA
ROBSON PINHEIRO *pelo espírito Ângelo Inácio*

Extraterrestres em visita à Terra e a vida dos habitantes de Capela ontem e hoje. A origem dos dragões – espíritos milenares devotados ao mal –, que guarda ligação com acontecimentos que se perdem na eternidade. Um romance histórico que mistura cia, fbi, ações terroristas e lhe coloca frente a frente com o iminente êxodo planetário: o juízo já começou.

ISBN: 978-85-99818-09-1 • ROMANCE MEDIÚNICO • 2002 • 403 PÁGS. • BROCHURA • 16 X 23CM

Negro
ROBSON PINHEIRO *pelo espírito Pai João de Aruanda*

A mesma palavra para duas realidades diferentes. Negro. De um lado, a escuridão, a negação da luz e até o estigma racial. De outro, o gingado, o saber de um povo, a riqueza de uma cultura e a história de uma gente. Em Pai João, a sabedoria é negra, porque nascida do cativeiro; a alma é negra, porque humana – mistura de bem e mal. As palavras e as lições de um negro-velho, em branco e preto.

ISBN: 978-85-99818-14-5 • AUTOCONHECIMENTO • 2011 • 256 PÁGS. • CAPA DURA • 16 X 23CM

Pai João
LIBERTAÇÃO DO CATIVEIRO DA ALMA
ROBSON PINHEIRO *pelo espírito Pai João de Aruanda*

Estamos preparados para abraçar o diferente? Qual a sua disposição real para escolher a companhia daquele que não comunga os mesmos ideais que você e com ele desenvolver uma relação proveitosa e pacífica? Se sente a necessidade de empreender tais mudanças, matricule-se na escola de Pai João. E venha aprender a verdadeira fraternidade. Dão o que pensar as palavras simples de um preto-velho.

ISBN: 978-85-87781-37-6 • AUTOCONHECIMENTO • 2005 • 256 PÁGS. BROCHURA COM CAIXA • 16 X 23CM

Sabedoria de preto-velho
REFLEXÕES PARA A LIBERTAÇÃO DA CONSCIÊNCIA
ROBSON PINHEIRO *pelo espírito Pai João de Aruanda*

Ainda se escutam os tambores ecoando em sua alma; ainda se notam as marcas das correntes em seus punhos. Sinais de sabedoria de quem soube aproveitar as lições do cativeiro e elevar--se nas asas da fé e da esperança. Pensamentos, estórias, cantigas e conselhos na palavra simples de um pai-velho. Experimente sabedoria, experimente Pai João de Aruanda.

ISBN: 978-85-99818-05-3 • AUTOCONHECIMENTO • 2003 • 187 PÁGS. • BROCHURA COM ACABAMENTO EM ACETATO • 16 X 23CM

Quietude
Robson Pinheiro *pelo espírito Alex Zarthú*

Faça as pazes com as próprias emoções.
Com essa proposta ao mesmo tempo tão singela e tão abrangente, Zarthú convida à quietude. Lutar com os fantasmas da alma não é tarefa simples, mas as armas a que nos orienta a recorrer são eficazes. Que tal fazer as pazes com a luta e aquietar-se?

ISBN: 978-85-99818-31-2 • AUTOCONHECIMENTO • 2014 • 192 PÁGS. • CAPA FLEXÍVEL • 17 x 24CM

Serenidade
Robson Pinheiro *pelo espírito Alex Zarthú*

Já se disse que a elevação de um espírito se percebe no pouco que fala e no quanto diz. Se é assim, Zarthú é capaz de pôr em xeque nossa visão de mundo sem confrontá-la; consegue despertar a reflexão e a mudança em poucos e leves parágrafos, em uma ou duas páginas. Venha conquistar a serenidade.

ISBN: 978-85-99818-27-5 • AUTOCONHECIMENTO • 1999/2013 • 176 PÁGS. • BROCHURA • 17 x 24CM

Superando os desafios íntimos
A necessidade de transformação interior
Robson Pinheiro *pelo espírito Alex Zarthú*

No corre-corre das cidades, a angústia e a ansiedade tornaram-se tão comuns que parecem normais, como se fossem parte da vida humana na era da informação; quem sabe um preço a pagar pelas comodidades que os antigos não tinham? A serenidade e o equilíbrio das emoções são artigos de luxo, que pertencem ao passado. Essa é a realidade que temos de engolir? É hora de superar desafios íntimos.

ISBN: 978-85-87781-24-6 • AUTOCONHECIMENTO • 2000 • 200 PÁGS. BROCHURA COM SOBRECAPA EM PAPEL VEGETAL COLORIDO • 14 X 21CM

CIDADE DOS ESPÍRITOS | *Trilogia Os Filhos da Luz, vol.1*
ROBSON PINHEIRO *pelo espírito Ângelo Inácio*

Onde habitam os Imortais, em que mundo vivem os guardiões da humanidade? É um sonho? Uma miragem? Não! É Aruanda, a cidade dos espíritos, onde orientadores evolutivos do mundo vivem, trabalham e, de lá, partem para amparar, socorrer, influenciando os destinos dos homens muito mais do que estes imaginam.

ISBN: 978-85-99818-25-1 • ROMANCE MEDIÚNICO • 2013 • 460 PÁGS. • BROCHURA • 16 X 23CM

OS GUARDIÕES | *Trilogia Os Filhos da Luz, vol.2*
ROBSON PINHEIRO *pelo espírito Ângelo Inácio*

Se a justiça é a força que impede a propagação do mal, há de ter seus agentes. Quem são os guardiões? A quem é confiada a responsabilidade de representar a ordem e a disciplina, de batalhar pela paz? Cidades espirituais tornam-se escolas que preparam cidadãos espirituais. Os umbrais se esvaziam; decretou-se o fim da escuridão. E você, como porá em prática sua convicção em dias melhores?

ISBN: 978-85-99818-28-2 • ROMANCE MEDIÚNICO • 2013 • 474 PÁGS. • BROCHURA • 16 X 23CM

OS IMORTAIS | *Trilogia Os Filhos da Luz, vol.3*
ROBSON PINHEIRO *pelo espírito Ângelo Inácio*

Os espíritos nada mais são que as almas dos homens que já morreram.
Os Imortais ou espíritos superiores também já tiveram seus dias sobre a Terra, e a maioria deles ainda os terá. Portanto, são como irmãos maisvelhos, gente mais experiente, que desenvolveu mais sabedoria, sem deixar, por isso, de ser humana. Por que haveria, então, entre os espiritualistas tanta dificuldade em admitir esse lado humano? Por que a insistência em ver tais espíritos apenas como seres de luz, intocáveis, venerandos, angélicos, até, completamente descolados da realidade humana?

ISBN: 978-85-99818-29-9 • ROMANCE MEDIÚNICO • 2013 • 443 PÁGS. • BROCHURA • 16 X 23CM

Encontro com a vida
ROBSON PINHEIRO *pelo espírito Ângelo Inácio*

"Todo erro, toda fuga é também uma procura." Apaixone-se por Joana, a personagem que percorre um caminho tortuoso na busca por si mesma. E quem disse que não há uma nova chance à espreita, à espera do primeiro passo? Uma narrativa de esperança e fé — fé no ser humano, fé na vida. Do fundo do poço, em meio à venda do próprio corpo e à dependência química, ressurge Joana. Fé, romance, ajuda do Além e muita perseverança são os ingredientes dessa jornada. Emocione-se... Encontre-se com Joana, com a vida.

ISBN: 978-85-99818-30-5 • ROMANCE MEDIÚNICO • 2001/2014 • 304 PÁGS. BROCHURA • 16 X 23CM

Canção da esperança
A TRANSFORMAÇÃO DE UM JOVEM QUE VIVEU COM AIDS
ROBSON PINHEIRO *pelo espírito Franklim*
CONTÉM ENTREVISTA E CANÇÕES COM O ESPÍRITO CAZUZA.

O diagnóstico: soropositivo. A aids que se instala, antes do coquetel e quando o preconceito estava no auge. A chegada ao plano espiritual e as descobertas da vida que prossegue. Conheça a transformação de um jovem que fez da dor, aprendizado; do obstáculo, superação. Uma trajetória cheia de coragem, que é uma lição comovente e um jato de ânimo em todos nós. Prefácio pelas mãos de Chico Xavier.

ISBN: 978-85-99818-33-6 • ROMANCE MEDIÚNICO • 1995/2002/2014 • 320 PÁGS. BROCHURA • 16 X 23CM

Faz parte do meu show
A TRAJETÓRIA DE UM ARTISTA EM BUSCA DE SI MESMO
ROBSON PINHEIRO *orientado pelo espírito Ângelo Inácio*

Um livro que fala de coragem, de arte, de música da alma, da alma do rock e do rock das almas. Deixe-se encantar por quem encantou multidões. Rebeldia somada a sexo, drogas e muito *rock'n'roll* identificam as pegadas de um artista que curtiu a vida do seu jeito: como podia e como sabia. Orientado pelo autor de *A marca da besta*.

ISBN: 978-85-99818-07-7 • ROMANCE MEDIÚNICO • 2004/2010 • 181 PÁGS. BROCHURA • 14 X 21CM

O FIM DA ESCURIDÃO | *Série Crônicas da Terra, vol.1*
REURBANIZAÇÕES EXTRAFÍSICAS
ROBSON PINHEIRO *pelo espírito Ângelo Inácio*

Os espíritos milenares que se opõem à política divina do Cordeiro – do *amai-vos uns aos outros* – enfrentam neste exato momento o fim de seu tempo na Terra. É o sinal de que o juízo se aproxima, com o desterro daquelas almas que não querem trabalhar por um mundo baseado na ética, no respeito e na fraternidade.

ISBN: 978-85-99818-21-3 • ROMANCE MEDIÚNICO • 2012 • 400 PÁGS. • BROCHURA • 16 X 23CM

OS NEPHILINS | *Série Crônicas da Terra, vol.2*
A ORIGEM DOS DRAGÕES
ROBSON PINHEIRO *pelo espírito Ângelo Inácio*

Receberam os humanoides a contribuição de astronautas exilados em nossa mocidade planetária, como alegam alguns pesquisadores? Podem não ser Enki e Enlil apenas deuses sumérios, mas personagens históricos? Desse universo em que fatalmente se entrelaçam ficção e realidade, mito e fantasia, ciência e filosofia, emerge uma história que mergulha nos grandes mistérios.

ISBN: 978-85-99818-34-3 • ROMANCE MEDIÚNICO • 2014 • 480 PÁGS. • BROCHURA • 16 X 23CM

TRILOGIA O REINO DAS SOMBRAS | *Edição definitiva*
ROBSON PINHEIRO *pelo espírito Ângelo Inácio*

As sombras exercem certo fascínio, retratado no universo da ficção pela beleza e juventude eterna dos vampiros, por exemplo. Mas e na vida real? Conheça a saga dos guardiões, agentes da justiça que representam a administração planetária. Edição de luxo acondicionada em lata especial. Acompanha entrevista com Robson Pinheiro, em cd inédito, sobre a trilogia que já vendeu 200 mil exemplares.

ISBN: 978-85-99818-15-2 • ROMANCE MEDIÚNICO • 2011 • LATA COM *LEGIÃO, SENHORES DA ESCURIDÃO, A MARCA DA BESTA* E CD CONTENDO ENTREVISTA COM O AUTOR

Responsabilidade Social

A Casa dos Espíritos nasceu, na verdade, como um braço da Sociedade Espírita Everilda Batista, instituição beneficente situada em Contagem, mg. Alicerçada nos fundamentos da doutrina espírita, expostos nos livros de Allan Kardec, a Casa de Everilda sempre teve seu foco na divulgação das ideias espíritas, apresentando-as como caminho para libertar a consciência e promover o ser humano. Romper preconceitos e tabus, renovando e transformando a visão da vida: eis a missão que a cumpre com cursos de estudo do espiritismo, palestras, tratamentos espirituais e diversas atividades, todas gratuitas e voltadas para o amparo da comunidade. Eis também os princípios que definem a linha editorial da Casa dos Espíritos. É por isso que, para nós, responsabilidade social não é uma iniciativa isolada, mas um compromisso crucial, que está no dna da empresa. Hoje, ambas instituições integram, juntamente com a Clínica Holística Joseph Gleber e a Aruanda de Pai João, o projeto denominado Universidade do Espírito de Minas Gerais — UniSpiritus —, voltado para a educação em bases espirituais [www.everildabatista.org.br].